FEMMES, CULTURE
ET SOCIÉTÉ
AU MAGHREB

Sous la direction de
R. Bourqia, M. Charrad, N. Gallagher

FEMMES, CULTURE ET SOCIÉTÉ AU MAGHREB

I

Culture, femmes et famille

AFRIQUE ORIENT

PARU AUX EDITIONS AFRIQUE ORIENT

— SOUS LA DIRECTION
DE R. BOURQUIA,
M. CHARRAD- N.GALLAGHER   FEMMES, CULTURE ET SOCIÉTÉ
AU MAGHREB
Volume I : CULTURE, FEMMES ET FAMILLE
Volume II : FEMMES, POUVOIR POLITIQUE ET DÉVELOPPEMENT
— RAHMA BOURQUIA   FEMMES ET FÉCONDITÉ
— B. HIMMICH   AU PAYS DE NOS CRISES
(Essai sur Le mal Marocain)
— A. REGGAM   LES MARGES DU TEXTE
— M. ABDELLAH SAAF
&
M. ALAIN ROUSSILLON   LES GENS DU NAVIRE
Réforme Et Politique Dans Le Maroc Des
Années 1930
— ANNE-MARIE ROZELET   PASSEUR D'ESPÉRANCE
Français Libéraux Dans Le Maroc En Crise
— R.S. BOUSSTA   LECTURE DES RÉCITS DE T.BENJELLOUN
— A. SAÂF   MAROC-L'ESPÉRANCE D'ETAT MODERNE

© AFRIQUE ORIENT
2ème édition 2000
Dépôt légal : 467/1996
ISBN : 9981 - 25 - 046 - 5 (ensemble)
9981 - 25 - 047 - 3 (volume I)

Remerciements

Le présent ouvrage qui rassemble des contributions de plusieurs chercheurs, maghrébins et américains, est le produit d'une réflexion qui a commencé lors d'un colloque organisé par AIMS à Tanger en Novembre 1991 sur Femme, État et Développement et qui a ainsi fourni la matière à partir de laquelle a émergé ce livre. Les auteurs qui ont présenté leur contribution au colloque ont révisé et mis à jour leurs articles à la lumière des débats et des discussions qui ont animé la rencontre, d'autres auteurs, présents au colloque, ont été sollicités pour contribuer à cet ouvrage.

Ce colloque n'aurait pu se tenir sans le concours et le soutien de plusieurs personnes et institutions. Nous sommes redevables à AIMS (American Institute for Maghribi Studies) à travers son directeur I. William Zartman, et à USAID à travers Joyce Holfeld (Chief of Population and Human Ressources) pour avoir fourni l'aide matérielle nécessaire pour la tenue du colloque.

Nos remerciements vont aussi à Tangier American Legation Museum Society (TALMS), à son directeur Thor Kuniholm et sa femme Elizabeth Kuniholm, pour avoir abrité la rencontre et mis l'agréable espace de la légation à notre disposition durant la période du colloque.

Nous tenons à remercier tous ceux qui ont contribué à l'organisation de la rencontre, ont assuré le travail de coordination et ont permis à des chercheurs maghrébins et américains de se rencontrer. Nos remerciements vont à Edward Thomas, Secretary Moroccan-American Commission Cultural Exchange, Mohamed Dahbi, Membre Marocain de la Commission Mixte de AIMS, Georges Sabagh, le Trésorier de AIMS, Jeanne Mrad, Directrice du Centre d'Etudes Maghrébines à Tunis (CEMAT), Hajj Ahmad Hayat Le Président de l'Association pour la promotion et la protection de Tanger et de ses monuments historiques.

Nous remercions vivement Mohamed Ben Issa Ministre de la Culture à l'époque qui a honoré de sa présence la séance de clôture du colloque.

La réalisation de cet ouvrage n'aurait pas pu s'achever sans le concours de Mimoun Mokhtari qui a contribué au travail éditorial et à la révision de certains articles, de Adel Mokhtari qui a assuré le travail de la pagination assistée par ordinateur, et de Mme Noria El Idrissi qui a entrepris avec sérieux et soin le travail de secrétariat. Que toutes ces personnes trouvent ici l'expression de notre gratitude.

NOTE SUR LA TRANSCRIPTION

Pour la translittération des termes arabes, nous avons opté pour un système simple, s'adaptant aux possibilités que nous offre le logiciel dont nous disposons.

'	ء	z	ز	q	ق
b	ب	s	س	k	ك
t	ت	sh	ش	l	ل
th	ث	s̲	ص	m	م
j	ج	d̲	ض	n	ن
h̲	ح	t̲	ط	h	ه
kh	خ	z̲	ظ	w	و
d	د	'	ع	y	ي
dh	ذ	gh	غ		
r	ر	f	ف		

Voyelles brèves		Voyelles longues		Diphtongues
a	ـَـ	â	ا - ى	aw ـَـو
u	ـُـ	û	و	ay ـَـي
i	ـِـ	î	ـِـي ي	

INTRODUCTION

Femmes au Maghreb : perspectives et questions

R. Bourqia, M. Charrad et N. Gallagher

*P*ar son titre cet ouvrage rassemblant des contributions de chercheurs maghrébins et américains annonce les axes principaux autour desquels s'organise la réflexion sur la condition féminine au Maghreb, à savoir ceux du social et du culturel. Les deux volumes de cet ouvrage mettent en évidence la complexité des vécus des femmes et la difficulté de repérer une et une seule condition féminine au Maghreb. C'est au carrefour des structures sociales, des institutions politiques et de leurs projets, des valeurs et des normes culturelles, et des contraintes économiques que l'on rencontre les différents portraits de femmes dans les sociétés maghrébines.

Le thème de la femme, ou encore celui de la condition féminine, se situe aujourd'hui au centre des enjeux idélogico-politiques au Maghreb. Le discours politique, quelque soit sa couleur: étatique, pro-étatique, de gauche ou encore islamiste, soulève stratégiquement la question du rôle que joue la femme dans la société. Ce rôle est évoqué à propos de toutes les questions se rapportant à l'éducation, à la religion, à la modernité, au développement, à la démocratisation, et au pouvoir. Mouvements féministes contemporains et partis politiques de différents bords plaident, pour des raisons stratégiques différentes, pour la participation de la femme dans la vie politique. Toutefois, tout discours sur les femmes n'est pas forcément un discours féministe dans le sens actif et positif du terme. Dans bien des discours, la femme pourrait se trouver, selon une volonté et une stratégie politique données, soit au coeur du politique, soit en dehors.

A l'échelle internationale, l'émergence des valeurs imposées par un nouvel ordre moral, telles que celles de la démocratie et des Droits de l'Homme, ont des implications directes sur les enjeux idéologico-politiques internes qui entourent la questions des femmes dans les sociétés maghrébines. L'aide occidentale pour le développement dicte, parfois, aux Etats maghrébins ses conditions, telle que celle d'intégrer les femmes dans les projets de développement. Mais cette condition particulière est toujours négociable sur le terrain de la pratique, dans la mesure où elle ne constitue pas une condition *sine qua non* de cette aide, et dans la mesure où les Etats "font de leur mieux" pour la satisfaire.

Nous estimons que toute approche de la condition féminine dans son rapport avec le discours, la société et la culture doit se munir d'une certaine vigilance épistémologique qui permettrait aux chercheurs dans ce domaine de prendre conscience de leur pratique scientifique ainsi que des principes théoriques sur lesquels se fonde cette pratique, et ce afin d'éviter des dérapages idéologiques vulgarisateurs auxquels aboutissent parfois les débats sur les femmes. Ces chercheurs, qu'ils soient femmes ou hommes, et qui étudient la condition féminine au Maghreb, doivent avoir conscience de leur environnement culturel, de leur engagement personnel vis-à-vis des questions comme celles des sexes, des sous-cultures, des hiérarchies sociales, et de l'impact de cet engagement sur leur production intellectuelle ; tout en étant au courant des paradigmes scientifiques qu'ils utilisent dans leurs approches. Par conséquent, toute recherche sur les femmes tout en se localisant dans le champ du savoir, se positionne aussi par rapport aux stratégies de ce savoir.

Sur la scène politique, pour faire face aux enjeux qui intègrent ou excluent la femme, il faudrait se munir d'une stratégie qui dépasse le cadre de la recherche et se penche sur la politique elle-même. Sur ce plan, il s'agit de prendre le discours politique sur les femmes comme objet de réflexion, afin d'interroger ses arguments, ses limites, et les conditions qui ont contribué à le produire et à le reproduire. Dans le champ du savoir, la vigilance épistémologique s'impose. La condition et le statut de la femme au Maghreb est l'objet d'un nombre relativement important d'écrits. Cependant, cette accumulation n'a pas encore fait l'objet d'investigation. Quelles sont les fondements théoriques de cette écriture? Quels sont les modèles analytiques et les outils conceptuels mis en oeuvre dans ces écrits? Quels sont les aspects qui sont le plus fréquemment abordés: le discours sur les femmes ou la réalité des femmes? Quels sont les thèmes privilégiés des recherches sur les femmes: les valeurs religieuses, le droit, ou la société et la culture?

Toutes ces questions invitent à faire un bilan critique sur les écrits se rapportant à la condition féminine au Maghreb. Ce bilan permettra de découvrir de nouveaux horizons et d'explorer d'autres espaces d'investigation. Une analyse critique de la connaissance sur les femmes est nécessaire pour faire avancer la réflexion sur la question. Il est évident que la réflexion sur ce sujet ne tourne pas dans un vacuum, dans la mesure où elle fait usage des outils conceptuels et analytiques de différentes théories classiques et modernes. Elle emprunte des démarches ou des approches élaborées dans le champ du savoir des sciences humaines et sociales. Elle se caractérise aussi par le fait de l'interdisciplinarité relevant, comme le montrent bien les articles de ce livre, de l'histoire, de la sociologie, de l'anthropologie, de la démographie, des sciences politiques et juridiques, et de l'économie. C'est ainsi que le discours des sciences humaines et sociales avec ses paradigmes se reflète dans les écrits sur les femmes.

L'étude des femmes au Maghreb, bien qu'elle ne puisse prétendre à apporter de nouvelles théories, oeuvrerait néanmoins à pousser certaines théories vers de nouveaux espaces d'intérêt scientifique et faire ainsi évoluer les théories. Par exemple en se référant à la méthodologie marxiste, l'investigation a révélé, d'une part, de nouveaux problèmes en identifiant le travail des femmes et une nouvelle dimension du rapport de pouvoir au sein de l'économie domestique, et d'autre part, elle a montré, à un niveau théorique, les limites d'une approche macro-économique. De même que la lecture du paramètre de pouvoir au sein de l'organisation familiale nous renseigne sur ces pouvoirs relais qui prolongent à une échelle micro-sociale le système politique global et nous incite ainsi à repenser le fonctionnement de ce système.

Ce souci de réflexion sur la production écrite sur la condition féminine reste limité, pour la simple raison que beaucoup des écrits qui font partie de cette production sont motivés par un certain activisme qui a pour slogan ' il faut changer le monde au lieu de l'interpréter et de l'expliquer'. Toutefois, toute volonté de changement passe impérativement par la connaissance et l'interprétation les plus adéquates des faits; d'où la nécessité de mener la réflexion sur les fondements théoriques des connais-sances sur la condition féminine en parallèle avec tout activisme visant le changement de cette condition.

Les articles rassemblés dans ces deux volumes reflètent cet esprit. Ecrits par des auteurs qui appartiennent à des disciplines différentes - histoire, anthropologie, sociologie, économie, et science politique - ces contributions dévoilent les différents aspects de la condition féminine au Maghreb et les différents aspects des rapports entre les sexes. La plupart de ces articles se réfèrent à des recherches menées sur le terrain, où les auteurs ont écouté, observé et interrogé le discours d'une société sur la question des rapports entre les sexes, parce qu'en fait, ce que l'on étudie est moins la femme qu'un rapport entre les sexes. Le terme de 'gender' en anglais est le terme approprié pour désigner ce rapport. C'est dans ce sens que cet ouvrage examine certains mécanismes culturels et sociaux qui produisent et reproduisent ces rapports ainsi qu'une certaine perception de l'homme et de la femme. Comme les espaces de ces mécanismes sont multiples - celui de l'histoire, de la culture, de l'économie, du droit, du social, du discours du sens commun, et de la religion - les contributions présentées dans ces deux volumes interrogent et examinent la question du genre (`gender') dans tous les champs du savoir des sciences sociales.

Le premier volume, *Culture, femmes et familles* regroupe les articles dont les approches s'inspirent de l'anthropologie en esquissant une certaine anthropologie de la féminité. Par vocation, cette discipline recherche le spécifique, le représenté et la différence. La plupart des femmes dont il s'agit ici sont essentiellement les rurales et celles des couches urbaines pauvres, c'est-à-dire celles qui constituent la majorité des femmes dans les sociétés maghrébines. Leur statut est codifié par des normes, des valeurs, et des pratiques culturelles. Se basant sur des données recueillies dans des terrains différents, ces articles montrent une certaine image de la féminité, des attitudes culturelles vis-à-vis des rapports entre les sexes, du poids de la tradition et des valeurs propres à une culture locale. Ces contributions soulignent aussi le pouvoir du culturel qui encadre le statut des femmes qui émergent dans de nouveaux espaces traditionnellement réservés aux hommes, ainsi que les mécanismes de la reproduction du culturel et de son retour sur la scène sociale à travers le phénomène du voile. Ces contributions ont aussi le mérite d'ouvrir la voix pour mener l'investigation sur les mécanismes de résistance déployés par le savoir-faire féminin.

Le deuxième volume, *Femmes, pouvoir politique et développement*, englobe les contributions qui interrogent le statut de la femme dans les discours historique, juridique et politique. Le discours institutionnel est une sphère de la légitimité des normes et des codes qui règlent les rapports sociaux en général et des sexes en particulier. Ces articles nous montrent que le discours, qu'il soit celui de l'histoire, du droit, ou de la politique, occulte le rôle de la femme comme actrice dans l'histoire, partenaire à part égale dans le droit, ou citoyenne à part entière dans l'arène politique.

En outre, ce volume rassemble aussi les contributions qui examinent une condition féminine prise dans la dynamique du changement socio-économique et des bouleversements idéologico-politiques des deux dernières décennies. L'évolution économique des sociétés maghrébines et leur insertion dans l'économie mondiale ont fait que les femmes ne constituent plus un monde à part ou encore une population cloîtrée dans des espaces privés. Une diversité des profils des femmes s'est imposée. Les différences d'âge, de classes, d'éducation, de régions écologiques sont autant de paramètres qui déterminent cette diversité et la complexité des statuts et des vécus des femmes.

Une grande transformation a touché les femmes urbaines plus que les rurales. Le changement dans les rapports conjugaux et familiaux, l'accès difficile des femmes à la formation, à l'emploi, à la politique, le retour du voile au nom de l'Islam, l'arrivée d'une démocratie hésitante, l'installation du processus de développement, sont autant de signes qui relèvent du présent. Aussi contradictoires et inconciliables qu'ils soient, ces signes sont aussi ceux des tensions et mutations que connaissent les sociétés du Maghreb.

Dans ces mutations touchant directement le statut et le vécu des femmes, plusieurs aspects restent encore à explorer avec des questions à poser, sollicitant ainsi des réponses et incitant à la réflexion. Quels sont les mécanismes et les supports les plus importants de la résistance au changement? Sont-ils d'ordre politique, économique ou culturel? Ces articles ne répondent qu'en partie à ces questions dans la mesure où chaque auteur mène son investigation à partir de sa propre discipline. Or, il faudrait par exemple analyser comment s'articule le juridico-politique avec le socioculturel. Le débat sur les contraintes du code juridique a besoin d'être ouvert sur la société et à la culture. Autrement dit, il s'agit de voir la manière dont s'articule le droit et la société, ainsi que la loi et la pratique.

Sur le plan sociologique et anthropologique, un autre aspect mérite une profonde investigation, celui des limites inférieures de la résistance féminine, autrement dit, le consentement des femmes à accepter l'ordre des choses. La majorité des femmes dans les sociétés maghrébines vivent dans le monde rural et dans les couches urbaines défavorisées. Ce sont ces femmes là qui subissent le plus le poids de la culture patriarcale qui contribuent à reproduire cette culture dans leur vécu. Par son statut social marginalisé, le monde féminin est un réservoir de valeurs et de normes sociales. Par le rôle qu'il joue dans la socialisation des enfants, par le discours qu'il contribue à élaborer sur sa condition, ce monde féminin contribue dans la défense de l'ordre établi. Ce qu'il faudrait peut-être

tenter d'expliquer, c'est moins la domination masculine, que le consentement féminin à cette domination et les conditions de production de ce
consentement.

Une autre question se pose: peut-on entrevoir un fil conducteur du
changement dans la condition féminine au Maghreb ? Depuis leurs
indépendances, les Etats du Maghreb, à des degrés différents, et par
l'installation des projets de développement, des réformes institutionnelles,
des programmes d'éducation de santé et du planning familial, se sont
attribués le rôle des initiateurs du changement. Le projet modernisateur de
l'Etat a pris en charge la socialisation du citoyen. Toutefois, cette modernisation devient hésitante, lorsqu'il s'agit du changement concernant le
statut de la femme. C'est ainsi que l'Etat se soustrait à assumer ce que
Balandier appelle "le coût social du progrès", et renonce, dans ce
domaine, à jouer le rôle d'éducateur et d'innovateur. Comme dans tout
processus qui implique la dynamique étatique, le changement ne pourra
émaner que de l'interaction de l'Etat avec les forces de pressions qui
revendiquent le changement, celles des mouvements féministes, de la
prise de conscience des femmes de leur citoyenneté et de l'accès de
certaines d'entre-elles au champ politique.

Habitat, Femmes et Honneur
Le cas de quelques quartiers populaires d'Oujda[1]

Rahma BOURQIA

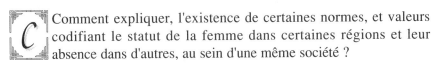 Comment expliquer, l'existence de certaines normes, et valeurs codifiant le statut de la femme dans certaines régions et leur absence dans d'autres, au sein d'une même société ?

La notion de féminité et de masculinité sont des notions socialement et culturellement construites au sein d'une société et d'une culture données. Toutefois chaque système culturel propre à une société, comporte des sous-systèmes qui particularisent différents espaces sociaux. Les particularités écologiques et les catégories sociales sont deux composantes importantes qui déterminent le déploiement des sous-cultures. C'est dans ce sens que la région Orientale, ainsi que le Nord-Est du Maroc, pourraient constituer en quelque sorte un sous-système au sein de la culture marocaine, singularisant ainsi une certaine aire culturelle. Un contexte écologique aride, la précarité des ressources matérielles, la mitoyenneté avec les zones frontalières déclenchant la méfiance prête à se traduire en défense, sont autant de contraintes qui sont compensées, au niveau culturel, par une inflation des valeurs.

Cette contribution vise à montrer comment, parmi les couches défavorisées de la population urbaine d'Oujda, ces valeurs encadrent étroitement l'organisation spatiale de l'habitat, le mouvement de la femme dans l'espace et le rapport que celle-ci entretient, à la fois, avec l'espace domestique et l'espace public.

Notre but est à la fois empirique et théorique. Il consiste, d'un côté à relever empiriquement la particularité de l'occupation et de l'organisation de l'espace, ainsi que celle des formes et des manières d'habiter adoptées dans la région de l'Oriental au Maroc ; d'un autre côté, il s'agit de saisir les modes d'articulation de ces données avec l'organisation et la fonction familiales, ainsi qu'avec les valeurs culturelles véhiculées par un discours sur les femmes, sur l'espace et l'honneur.

15

L'habitat est toujours le produit d'un acte de délimitation marquant une discontinuité dans un environnement spatial étendu[2]. La nature de cette délimitation, ainsi que la forme architecturale qu'elle puisse prendre, sont déterminées par plusieurs facteurs.

En effet plusieurs composantes sont repérées par les anthropologues comme étant des facteurs déterminant les formes d'habiter. Les composantes physique, climatique, économique, technique (disponibilité de certains matériaux), artistique (une technique particulière de construire), défensif (recherche de protection), et religieuse, sont autant de facteurs qui contribueraient à produire une forme particulière de construire et organiser l'habitat. Dans son livre *Home, Form and Culture,* Amos Rapoport, tout en dénonçant un certain déterminisme, suggère aux anthropologues de ne pas privilégier un aspect au détriment des autres mais de tenir compte de l'interaction de tous ces facteurs. Comme il l'écrit: "the need to consider many factors is, in the final analysis, the main argument against any determinist view".(Rapoport, A. 1969 : 45).

Bien que Rapoport critique le déterminisme climatique et la thèse de l'habitat-refuge *(shelter)*, et attire notre attention sur la variété des facteurs qui rentrent en jeu pour déterminer la forme d'habitat, il souligne néanmoins l'importance des facteurs culturels, dans le sens où il accorde une certaine importance à l'interaction des attitudes et des idéaux culturels avec des facteurs sociaux et économico-physiques. Des gens ayant des attitudes culturelles différentes réagissent à l'environnement de façons différentes. Comme il l'écrit: "construire une maison est un phénomène culturel", autrement dit il y aurait une particularité de chaque société ou d'un groupe social quant au mode d'articulation du social, du culturel, du rituel, de l'économique et de l'environnement physique dans la détermina-tion des formes d'habiter.(Rapoport, A, 1969:46).

Quelques études effectuées sur un certain type d'habitat au Maghreb rejoignent la même thèse. C'est ainsi qu'en analysant la symbolique de l'espace de l'habitat troglodytique chez les Beni-Aïssa du Sud Tunisien, Geneviève Libaud se demande "pourquoi ce choix d'une habitation souterraine?" Comme réponse à cette question elle retrouve la conformité architecturale à un modèle culturel. L'habitat n'est donc que la concrétisa-tion dans l'espace d'un modèle socioculturel.(Libaud, G, 1986:65). Une telle étude se fonde sur l'hypothèse qui voudrait que l'organisation spatiale de la maison, et sa forme architecturale traduisent les valeurs d'une aire culturelle. En projetant dans l'espace leur rapports sociaux, la représentation de ses rapports, et leurs valeurs culturelles les gens produisent leur espace d'habitation. Cependant, une telle hypothèse, bien que pertinente pour comprendre le rapport des hommes à l'organisation de leur espace, reste discutable, dans la mesure où elle suppose l'existence d'une aire culturelle stable, homogène, et exclusive vis-à-vis des autres cultures. Cependant, dans notre terrain de recherche, les changements rapides que connaissent les quartiers populaires d'Oujda, ainsi que le mouvement des gens nous imposent de relativiser cette hypothèse. Les émigrés qui sont en général d'origine rurale, intègrent la ville l'adaptent à leur mode vie et à leurs valeurs. La ville à son tour impose aux nouveaux venus ses règles, ses contraintes économiques et sociales et met à l'épreuve leur système de valeurs.

1 - La maison et le principe de la fermeture

L'apparition des quartiers où nous avons mené notre enquête (Fillage Hakku, Fillage Fwaguig, Fillage Jdîd et Ḥay Assalam) dans la ville d'Oujda, s'est effectuée en dehors du contrôle des autorités publiques et en marge de la planification urbaine. La conception des quartiers et la construction des maisons a échappé aux concepteurs administratifs. Cependant cet habitat qui porte le nom de "construction anarchique" (**bni el-fuda**), appellation adoptée par les autorités locales et par les habitants de ces quartiers, exprime pourtant une certaine rationalité. Expression d'un imaginaire collectif, l'habitat traduit les valeurs qui régissent les rapports entre les sexes chez un groupe social déterminé.

En général, la forme architecturale des maisons dans ces quartiers obéit à un seul principe. Seuls quelques petits signes externes et décoratifs, qui soulignent avec subtilité le statut social du propriétaire de la maison, changent d'une maison à une autre. D'une manière générale, on retrouve la même architecture dans toute les maisons. Un fait qui révèle l'uniformité du modèle.

Chaque maison a une forme rectangulaire ou carrée, avec une porte qui mène vers l'extérieur. La plupart des maisons n'ont pas de fenêtres qui s'ouvrent sur la rue. Les pièces dont le nombre dépend de la fortune du chef de famille, ainsi que la cuisine, s'ouvrent, par des **portes** et des fenêtres, sur une cour (**hawsh**) à toit ouvert. Les sanitaires sont générale-ment placés en retrait, dans le petit couloir qui mène vers la porte.

Les maisons n'ont pas de terrasses comme on en trouve dans d'autres régions du Maroc, qui serviraient à étendre le linge, sécher la viande et les épices, et prolongeraient l'espace de la maison. Toutes ces fonctions se trouvent assurées par la cour centrale (**ḥawsh**). Même dans des cas où la maison comporte un rez-de-chaussée et un étage, la cour ouverte est maintenue. Cette cour, que l'on retrouve dans l'architecture traditionnelle marocaine constitue une particularité de l'architecture locale actuelle.

Bien qu'elle ait une forme rectangulaire ou carrée, la maison exprime la fermeture et une certaine idée de la circularité, qui apparaissent comme étant le trait le plus frappant de ce type d'habitat. En fait la circularité n'est nullement étrangère à une façon d'habiter dans la société marocaine du passé; cette circularité que l'on retrouve déjà dans le terme **douar** (village), ce terme qui désigne le village dans le milieu rural.[3]

Dans le passé, le **douar** était constitué d'un ensemble de tentes, placées sous une forme circulaire, dont la disposition de l'ensemble tourne le dos à d'autres communautés villageoises. Aujourd'hui bien qu'il n'ait plus cette forme, le vocable est encore en usage pour désigner le village tout court et pour révéler une certaine représentation de l'espace communautaire, comme espace circulaire.

Par sa forme architecturale fermée la maison dans la ville d'Oujda rappelle cette circularité, qui tourne le dos à l'espace extérieur. Pourrait-on conclure de ce constat que l'espace domestique est fermé à la société et à l'interaction avec l'extérieur? L'organisation spatiale de la maison nous guide vers une telle conclusion. Cependant un tel constat ne pourrait trouver son explication seulement dans un trait culturel mais aussi dans l'organisation sociale et dans la structure familiale, dans les rapports entre les sexes et dans le statut qu'accorde la société à chaque sexe.

La conception spatiale est un produit masculin. Dans ces quartiers les gens n'ont pas recours aux architectes (**muhandisîn**) pour construire leur maison. L'architecte est le chef de famille qui calque la forme de son habitat sur un modèle uniforme élaboré par un imaginaire collectif. Ce sont les hommes qui construisent les maisons et même lorsque certaines femmes se font construire les leurs, elles les font faire selon les mêmes normes et la même conception. L'architecture de la maison est donc une production collective qui traduirait des valeurs masculines.[4]

Le principe de fermeture autour duquel s'organise l'architecture de l'espace domestique exprime un certain repli sur soi et une restriction sur la communication avec l'extérieur. Dans la conception des hommes, et dans celles des femmes qui ne font que reproduire celle des hommes, opter pour un espace domestique fermé, ainsi que limiter les ouvertures de la maison sur l'extérieur c'est préserver l'intérieur qui abrite les femmes. La porte principale, unique ouverture sur la rue et la société, fonctionne comme seuil de contrôle social sur les femmes. Il est à noter que les hommes et les femmes n'ont pas le même rapport avec la porte. Ne dit-on pas d'un homme qui contrôle bien sa famille, qu'il garde bien la porte de sa maison, ou encore que sa porte est fermée (**babu masdûd**)?

La porte est la limite et la frontière séparant le familier du non-familier. Aucune présence mâle n'a le droit d'entrer à la maison sans le consentement du chef de famille. Pour les femmes, le rapport avec la porte est régie par un code social. En général les femmes ne franchissent pas le seuil de la maison sans l'autorisation de leur mari. Dans tous les cas, une femme honorable ne franchit pas la porte, et si elle le fait c'est pour accomplir des tâches bien précises telles que aller au bain public ou rendre visite à ses parents ou visiter un sanctuaire.

Une femme qui se met souvent devant la porte de sa maison expose sa réputation et celle de son ménage aux racontars. Celle qui ne trépasse pas beaucoup le seuil de la porte et qu'on appelle femme réservée (**hdudiyya**), se vante de l'être. Durant notre enquête plusieurs femmes se vantent d'avoir "la porte fermée sur elles" (**babî masdud `liya**), pour dire que je ne fréquente pas les autres et que je me limite à me mouvoir derrière les murs de ma maison. Le fait de se mêler aux autres (**mkhalta**) est considéré comme étant nuisible à la réputation d'une femme. Celle-ci préserve sa réputation en limitant ses contacts avec l'extérieur. La communication avec d'autres, en l'occurrence avec d'autres femmes, est toujours perçue comme étant menaçante pour l'ordre établi, parce qu'elle instaure un cadre favorable où se forge la complicité des femmes.

Il y aurait donc une tendance à valoriser une femme étroitement liée et associée à la maison. L'antipode de "la femme de maison" est "la femme de rue" (**mart zanqa**) qui est associée à la prostituée, parfois appelée fille de **lakhla** ou (**bint lkhla**). La notion de **lakhla**, qui veut dire littéralement espace vide non habité, exprime la nature dans son aspect le plus sauvage; espace non-structuré qui a échappé à l'emprise de l'Homme. En se situant en dehors du contrôle social, la prostituée est associée à cet espace naturel vide qui s'oppose à un espace culturel plein, celui de la maison. Une opposition s'établit ainsi entre l'espace plein, qui est celui de la maison, ce contenant de la femme valorisée, et l'espace vide (**lakhla**) auquel se trouve associée la femme non-valorisée, c'est-à-dire celle qui a transgressé les normes sociales. La maison est donc le symbole de l'ordre moral et social.

Le rapport de la femme à l'espace domestique révèle qu'elle est toujours réduite à se mouvoir dans un espace clos et fermé, délimité avec des frontières visibles. A l'extérieur de la maison le voile **(hayek)** lui sert de rempart protecteur contre les regards des passants et prolonge en quelque sorte son isolement dans un espace délimité.[5] Dans la rue, habillée de voile, la femme à travers une fente, ne laisse apparaître de son corps qu'un seul oeil **(la`wina)**. C'est ainsi qu'elle dévisage sans être dévisagée.

La notion de fermeture que l'on retrouve dans la forme architecturale de la maison, et dans un discours véhiculé sur la femme et l'espace, est une fermeture protectrice qui protège la femme contre un extérieur menaçant. En fait, le discours nous révèle que la femme se trouve au centre d'une double protection. Pour elle le mariage est déjà perçu comme une protection. L'expression populaire usitée qui dit que `le mariage est une protection' pour la femme **(jwaj setra),** le rappelle, et fait par la même occasion du mari un détenteur et un gardien de cette protection. L'espace domestique lui fournit une autre protection. Par sa forme et par les codes qui règlent son usage et son rapport avec l'espace public, il intervient à son tour pour la placer sous une protection supplémentaire. En somme, la circularité, voire la fermeture, de l'espace domestique fait de la maison un espace protecteur.

2 - Structure de l'habitat et organisation familiale

La structure de la maison est étroitement liée à celle de la famille. La structure spatiale est en quelque sorte une projection d'une structure sociale. Elle est concrétisation dans l'espace des rapports qui existent au sein de l'organisation familiale. C'est dans ce sens que l'architecture spatiale de la maison traduirait le statut de la femme. Cependant, le lien entre espace domestique et structure sociale familiale ne pourrait se réduire à un rapport unilatéral. Mais, c'est en se référant à la fois à cette architecture, à la pratique sociale qui accompagne l'usage de la maison, et au discours sur la pratique et sur l'espace, que se dévoile ce lien entre structure spatiale et structure familiale.

C'est le langage qui nous introduit l'espace domestique comme espace conçu et perçu. Dans l'Oriental la maison est nommée usuellement **dâr** mais surtout le **ḥawsh.** Ce même langage nous révèle qu'un homme possède moins une maison qu'un **ḥawsh.** "J'ai acheté un **ḥawsh**", dirait un tel, pour signifier qu'il acheté une maison. Le **ḥawsh** veut dire littéralement cour et aussi maison. En substituant parfois la cour à la maison, le discours nous livre une appellation qui révèle une certaine représentation de la maison comme espace qui se structure autour de la cour. Ce caractère central de la cour est doublement soulignée à la fois par l'architecture et par le langage.

On pourrait dire que le **hawsh**, comme forme d'habitation, constitue une particularité de la manière d'habiter de l'Oriental. On retrouve le même type d'habitat dans toute la région rurale de l'Oriental. Transposé dans le milieu urbain ce type d'habitat conserve sa structure et certaines de ses fonctions.

La comparaison avec l'habitat des autres régions du Maroc s'impose, afin de cerner la particularité de sa structure et de sa fonction socioculturelle. En comparant cette forme architecturale avec celle qu'on retrouve dans d'autres régions rurales du Maroc, on constate qu'il y a une différence qui se manifeste au niveau de l'organisation et de la conception de l'espace domestique. Dans le Gharb et chez Les Zemmour par exemple, l'espace domestique dans le milieu rural, réalise une sorte de continuité avec l'espace extérieur. Les limites entre l'intérieur et l'extérieur sont moins rigides, et laisse envisager un contact permanent entre le dedans et le dehors. La forme architecturale révèle cette flexibilité avec le contact extérieur. La maison est en général formée d'une ou deux pièces avec une pièce/cuisine et une écuries (**couri**); le tout est disposé d'une manière alignée ou sous forme d'équerre. Par sa conception l'espace domestique dans ces régions est un espace relativement ouvert qui n'est délimité que par des barrières fragiles constituées de branchages pour se protéger contre les animaux et les intrus beaucoup plus que contre le regard des hommes.

Dans l'Oriental par contre, l'espace rural est discontinu. Les murs fermés de la maison sont des frontières qui séparent nettement l'extérieur de l'intérieur afin de délimiter matériellement le territoire familial. C'est ainsi que la structure du **hawsh** répond aux valeurs qui codifient les rapports entre les sexes dans l'organisation familiale. Cette structure correspondait dans le passé à la structure de la famille patriarcale étendue. Or actuellement, dans ce nouveau contexte urbain, il existe une tendance à la subdivision du **hawsh** en pièces autonomes qu'occupent, soit des locataires liés par des rapports de parenté, soit des fils mariés qui ont exprimé le désir d'une autonomie relative. Nous constatons que la famille patriarcale étendue est en recul. Même lorsqu'ils partagent la même maison avec leurs parents, les fils expriment ce désir d'autonomie par le fait de ne plus partager les repas avec leur parents; d'où les notions de **fraq** ou **'azl** utilisées dans le cas où un fils opte pour ce choix, pour dire respectivement se séparer et s'isoler.

Dans la culture marocaine le partage des repas et la convivialité consolident les rapports entre les individus et ritualisent les rapports familiaux. Partager un repas est toujours signe de fraternité entre les individus impliqués; il entraîne des obligations réciproques qui instituent les rapports de cordialité et les consolident. "Le partage du sel", ce substitut métaphorique du repas, dit-on est sacré, il implique des obligations mutuelles entre les convives. Or lorsqu'un fils marié décide de ne plus partager les repas avec ses parents, il opte pour un nouveau rapport où il réalise une certaine autonomie dans la cohabitation, en leur infligeant le sevrage de la dépendance.

Bien que la famille patriarcale soit en recul, certains traits culturels qui l'accompagnent continuent à exister. L'espace domestique continue à être une sorte de projection de l'espace communautaire tribal dans l'espace de la ville. Comme l'écrit Sonia Naim-Sanbar: "appréhendée à travers une logique de la défense, l'organisation de la maison se présente aussi à l'image de celle du groupe ou de la communauté"(Naim-Sanbar,S, 1989 : 224). En construisant une maison on transpose dans la ville une image et un modèle culturel du groupe qui ne se réalisent qu'à une échelle réduite, c'est-à-dire celle du groupe familial.

Dans le passé la cohésion du groupe tribal reposait sur l'idéologie de l'ancêtre commun, mythique ou réel, sur la défense d'un terroir et sur la défense de l'honneur des femmes. Toute atteinte au territoire et aux femmes déshonore le groupe. Dans le présent on retrouve les traces de ce `cultural pattern' dans une conception et dans la gestion de l'espace domestique. Dans la ville, l'habitat ne constitue-t-il pas un substitut au territoire de la tribu? En étant conçu suivant une architecture de la barricade et de la défense, il rappelle la fermeture et la solidarité du groupe tribal. Certains chercheurs qui se sont intéressés à d'autres région du monde arabe ont donné à cette architecture une explication psychologique pour conclure qu'elle reflète "le caractère introverti de la famille musulmane"(Raymond,A.1989 : 195). Sans généraliser ce fait, il faudrait relativiser l'architecture musulmane et même marocaine. Dans différentes régions de la société marocaine on ne construit pas de la même façon. Bien que l'organisation spatiale soit dans toute la société marocaine régie par une structure fondamentale qui distingue entre l'espace privé et l'espace public, il reste que l'usage social que les gens font de cette structure diffère d'une classe à une autre et d'une région à une autre.

Dans le Maroc Oriental, la structure du **hawsh** est un support des rapports entre les sexes et des valeurs qui régissent ces rapports. L'organisation de l'espace domestique est étroitement liée à la représentation de la féminité. La maison n'est-elle pas associée à la femme? Ne dit-on pas `maison' (**dâr**) pour dire femme et enfant? Dans son aspect architectural elle répond donc aux valeurs qui entourent la femme et son corps.

3 - La maison et le possesseur de la maison (mûl dâr)

Nous constatons que dans le langage dialectal il n'y a pas de terme pour désigner le chez-soi, (ou "home" que l'on retrouve en anglais). Dans certaines langues (telles que français et l'anglais), on rencontre la distinction entre la maison en tant que demeure matérielle et le chez-soi, une notion, qui ne définit pas un objet, mais se réfère à la familiarité avec une image mentale de la maison (Dovey,K.,1978). La notion de maison (**dâr**) est polysémique. Elle connote et exprime plusieurs sens à la fois: la demeure, le bien matériel, l'espace familial, la femme, la progéniture, et l'attachement à un espace familier. Le rapport à la maison est un rapport qui dépasse celui qu'on pourrait avoir avec une demeure. Celle-ci se trouve imbriquée avec l'espace sociale.

L'hégémonie sur la maison (ou la maisonnée), c'est-à-dire sur le contenant et le contenu, passe par sa possession. Posséder sa propre demeure est le désir de tout homme. Les émigrés vendent la terre dans leur lieu d'origine pour acquérir une maison dans la ville. C'est ce titre juridique (**melk**), cet argument incontestable de propriété, qui attribue légalement la maison au chef de la famille et lui donne le pouvoir sur son espace. C'est pour cette raison que la propriété de la maison est toujours source de tension dans un couple parce que, dans la plupart des cas, la femme s'en trouve exclue.

La valorisation de la maison trouve sa justification dans sa fonction à la fois sécurisante et prestigieuse. Elle constitue une garantie de sécurité contre les aléas de la vie et elle permet à un homme "d'avoir la tête haute" devant les gens. Celui qui ne la possède pas se voit démuni d'un capital dont la valeur sociale dépasse la valeur matérielle et se trouve par conséquent condamné à louer sa demeure, ou à partager une maison avec d'autres comme, c'est le cas pour ceux qui louent avec les voisins. Il est exposé à l'humiliation de la pauvreté extrême, et expose par la même occasion sa famille à la dégradation sociale. Dégradation économique et dégradation de son honneur vont de pair.

Dans la ville la tendance individualiste s'exprime par ce désir et ce besoin de posséder sa maison. La maison fait objet d'un culte et d'une valorisation. Lorsque les moyens le permettent on soigne la façade. Le décor de celle-ci rehausse le statut du chef de famille et l'affirme aux yeux des voisins du quartier.[6]

Le statut social d'un individu se mesure par la consommation qu'il fait de certains objets dont le plus important est la maison; un fait qui n'est peut être pas particulier à la société marocaine puisqu'il est relevé par d'autres anthropologues à propos d'autres sociétés. Duncan James S. a souligné le rôle que joue la maison comme symbole de distinction et comme espace à l'exhibition des richesses chez l'élite occidentalisée dans une ville de l'Inde, un type de comportement que l'on retrouve chez l'élite marocaine. Le statut social dans la société marocaine se mesure par un certain nombre de signes de distinction sociale: la maison, et l'exhibition des richesses. Cependant, il est à remarquer que chez les classes pauvres la maison sert pour cacher, en l'occurrence la misère. Plusieurs dictons populaires expriment cette idée. "Je suis chez-moi et personne n'a de mes nouvelles" (**ranî fi dârî ma jab had khbârî**) ou encore "ma maison protège mon déshonneur" (**dâr taster `aybî**). Chez les classes pauvres la maison, signe de l'honneur, cache un type de déshonneur: la pauvreté.

La possession de la maison dans la ville remplace celle de la terre pour devenir support de l'identité familiale. Ne dit-on pas maison d'un tel (**dâr flân**) pour dire famille d'un tel ? La maison et la famille ne forment qu'une seule chose qui est toujours attribuée et 'possédée' par le chef de famille.

Le fait d'acquérir sa maison donne aussi de l'autorité à un homme sur sa famille, consolide son pouvoir et lui donne le droit de contrôler le mouvement de sa (ou ses) femmes et ses filles, et par conséquent de gérer avec fierté son espace domestique. La maison c'est ce bien que l'on ne partage pas avec le groupe et la collectivité, ou avec le reste de la famille. En possédant la propriété matérielle de la maison, le chef de famille possède aussi sa propriété symbolique qui se traduit par l'autorité sur sa famille (**mûl dâr**). Là, capital matériel et capital pouvoir se trouvent liés.

Mais cette valorisation de la maison, ainsi que le désir de son acquisition se trouvent parfois confrontés aux contraintes matérielles. La pauvreté oblige certaines familles à louer une pièce dans un **hawsh**. En général les familles qui louent la même maison sont liées par des rapports de parenté. Dans ce cas chaque ménage occupe une pièce et prépare ses propres repas à part. Un simple rideau (**hjâb**)[7] sépare la vie intime de la vie publique. La cour devient dans ce cas le théâtre de l'activité des femmes. On y lave le linge, on y prépare la cuisine et on discute avec d'autres femmes. Bien que cette cohabitation fasse subir aux habitants le contact permanent avec les autres, dans la mesure où, leur vie privée se trouve exposée au voisinage, elle est, malgré tout, tolérée en raison de la contrainte matérielle et en raison des rapports de parenté qui lient les familles .

4 - La maison et le code de l'honneur

La structure spatiale ainsi que son rapport avec la structure familiale, doivent être appréhendés aussi dans le cadre du système de valeurs propres à cette société. Il y aurait un code de l'honneur qui régirait les lois de ce système, qui donnerait une signification aux statuts masculin et féminin et déterminerait "les idéaux vers lesquels on doit tendre, les modes de conduites qu'il convient d'adopter et les contraintes qui s'exercent sur l'individu pour modeler sa conduite" et réglerait l'usage que chaque sexe fait de l'espace (Robben, M.,1989).

La division de l'espace entre les sexes est purement sociale et culturelle. Le mouvement de chaque sexe dans l'espace s'effectue suivant les règles de ce qu'on appellerait "la division morale de l'espace" qui détermine les règles de conduites convenables à adopter dans tel espace et non pas dans tel autre (Pitt-Rivers, J.,1977 : 121-124). C'est cette division qui fait que les hommes passent leur temps dehors et la femme à l'intérieur. Un homme qui passe son temps à la maison est associé aux femmes. Pour les hommes la maison ne sert que pour manger et dormir, par contre pour les femmes, elle est le théâtre de leur quotidienneté.

Cette "division morale de l'espace" est régie par le code de l'honneur. Paradoxalement l'honneur est présent dans ce rapport à l'espace mais sans porter de nom propre. C'est en vain que nous avons cherché un terme précis dans le langage usuel qui désignerait l'honneur. En répertoriant le vocabulaire de l'honneur Bourdieu cite `**ardh, lahiya, el-hashma, nesar, el-`âlî, esser,** et d'autres termes en usage dans le dialecte Kabyle (Bourdieu,P.,1966:206). Bien que tous ces termes fassent allusion à l'honneur ils n'épuisent pas tout son sens. Chaque terme se charge de sens en fonction du genre auquel appartient les acteurs sociaux (hommes ou femmes, jeunes ou âgés) et en fonction de la situation dans laquelle se trouve l'individu. Par exemple les termes **lahshma** et **lahiya** évoquent moins l'honneur d'un homme que la pudeur de la femme. De même que la notion de **el-`alî** ou **`alî shanû** (son statut est élevé) évoque la réussite sociale d'un individu. La notion de **esser** c'est la gloire le prestige, la pondération et le respect que procure surtout l'âge. **Rzîn** c'est la pondération et la sagesse de celui qui pèse ses mots; c'est celui dont les mots résonnent comme des coups de canon (**klamû kil mdfa`**). Le répertoire des attributs d'un homme (**rajal**) est riche par la richesse et la diversité des contextes sociaux que créent les rapports sociaux et par la diversité des stratégies que ces contextes mettent en action. Bien que la conceptualisation ne puisse englober toutes les subtilités des situations, il faudrait malgré tout distinguer entre ce qui revient au prestige et ce qui revient à l'honneur. Le prestige et l'honneur se partagent une caractéristique essentielle, c'est celle qui fait qu'ils ne sont pas uniquement une valeur qu'un homme s'attribue, mais aussi celle que les autres lui donnent (Pitt-Rivers, J., 1966). Sans la reconnaissance des autres il n'y aurait ni prestige ni honneur. Mais la subtilité qui sépare le prestige de l'honneur réside dans le fait que le premier opère à un niveau matériel, alors que le second à un niveau symbolique.

Les célébrations et les cérémonies sont toujours une occasion rituelle pour perdre ou acquérir le prestige. Une fête de mariage où les gens n'ont pas mangé assez, déclenche les commérages et dévalue le prestige du chef de famille. L'argent, la position sociale élevée, un travail rémunérateur, des enfants qui ont de bons emplois sont autant de composantes du prestige d'une famille et de son chef. Le prestige, sorte de capital social, s'acquiert par l'accumulation du capital matériel et par l'exhibition de ce capital, alors que l'honneur opère dans le rapport d'un homme à ses femmes (épouses et filles). C'est dans ce sens qu'un homme appartenant à une catégorie sociale pauvre, et qui contrôle bien ses filles et sa femme dira "qu'il est pauvre mais honorable" (**miskîn u b`aradu**).

Un vrai homme (**rajal**) est celui qui a intériorisé le code de l'honneur et qui agit en fonction de ce code. Le maintien de l'honneur est un processus opérant au sein de la dialectique qui lie un individu aux autres. L'honneur d'un homme dépend certes de ses propres attributs mais dépend surtout de l'image que se font les autres de lui. C'est pour cela que l'honneur est vulnérable, difficile à préserver et nécessite un constant déploiement de la capacité de le défendre.

Le terme **sharaf** qui veut dire honneur en arabe classique et dans certains dialectes n'est point véhiculé par le langage de la région. Pourtant on se réfère toujours à l'honneur, mais par métaphore. La tête est son espace dans le corps de l'homme. On dira "qu'un tel a la tête haute ", que "son visage est rouge", ou encore "qu'il a le visage propre" pour dire qu'il est investi d'honneur. En général, il est focalisé dans **le nif** (nez) qui devient le symbole par excellence de l'honneur. Lorsque l'on le perd c'est "le sang du visage qui est perdu", ou encore que ce "visage est devenu sale". Le déshonneur dit-on "fait baisser la tête des hommes", l'honneur par contre le redresse et le fait rougir, non pas de honte mais de fierté et d'orgueil. Et lorsqu'un individu est incapable de défendre son honneur c'est "qu'il n'a pas de **nif**". Le visage sert donc de surface pour l'honneur; mais sa partie saillante (le nez) sert pour se l'approprier et le défendre. On pourrait dire de l'Oriental qu'il forme dans la société marocaine l'aire géographique du **nif**.[8]

L'honneur touche donc la face des hommes. Il est parfois appelé **wajh** (face). Cette face qui affronte le monde extérieur et la société. Associé à la tête et au visage il désigne la hauteur et ce qui se voit aux yeux de tous. L'honneur n'est là que pour être vu.

L'honneur renforce le prestige social. Celui-ci se gagne par l'accumulation de plusieurs attributs, tels que, la richesse qui élève le statut d'un individu et fait de lui un homme respectable, les qualités intrinsèques qui font d'un homme un vrai homme, le courage et la capacité de défendre son honneur. La notion d'homme (**rajal**) connote à elle seule la masculinité et l'honneur. Mais parfois elle a besoin d'attributs supplémentaires pour l'affirmer. On se réfère parfois à des attributs physiques pour définir et pour évaluer un homme. La moustache, cette marque masculine sur le visage est un symbole de cette virilité positive qu'un homme pourrait convertir en l'honneur. "Un homme à moustache" (**rajal bshlaghmu**) dit-on, pour signifier que c'est un homme d'honneur. De même que l'on dira "un homme avec ses bras" (**rajal bdar`u**) pour se référer à son courage et sa capacité de travail et de subvenir aux besoins de sa famille.

L'honneur indique donc les qualités dont la réputation d'un homme en dépend. Si une des qualités est absente dans un contexte, l'honneur est perdu. L'honneur est donc toujours fragile à préserver dans la mesure où il dépend toujours de la reconnaissance des autres.

Dans le monde des hommes l'honneur se gagne ou se perd par rapport aux femmes. L'honneur d'un homme exige que celui-ci soit toujours prêt à défendre sa femme, sa soeur et sa mère contre l'agression physique et verbale des étrangers. Il est toujours prêt à relever le défi d'une insulte lancée à une soeur ou une cousine. Un vrai homme ne supporterait pas de voir un autre évoquer le nom de sa soeur ou sa femme dans une réunion d'homme, un fait considéré comme une atteinte à son intimité et par conséquent une atteinte à l'honneur. C'est souvent dans la colère et les rixes que le défi est relevé et que l'honneur est vengé [9].

Ne pas nommer sa propre femme par son prénom devant des étrangers ou des invité, est un fait encore courant dans l'Oriental. Si l'homme rentre à la maison accompagné d'un invité, il n'appelle point sa femme, mais se contente d'attirer l'attention sur sa présence en toussotant ou encore en murmurant quelques phrases incompréhensibles, signes de sa présence, ou encore en criant "ouvrez la voie" (**diru trîq**).

L'honneur fonctionne dans un espace relationnel et hiérarchisé; c'est celui qui sépare les hommes des femmes. Pour qu' un homme puisse avoir la tête haute à l'extérieur, il faudrait que ses femmes soient contrôlées et maîtrisées par son autorité à l'intérieur de la maison. Le code de l'honneur impose donc un rapport entre les sexes basé sur l'existence de la dualité haut/extérieur comme attributs des hommes, bas/intérieur comme attributs des femmes.

Comme nous l'avons souligné plus haut l'architecture spatiale de la maison tourne le dos au monde extérieur, et paradoxalement tout le contrôle des hommes sur les femmes est destiné au regard de cet extérieur. En fait ce paradoxe n'est qu'apparent. L'architecture préserve l'intime et maintient les femmes dans un intérieur pour investir les hommes d'honneur à l'extérieur.

L'ouverture du **hawsh** vers le ciel est une ouverture sur le vide. Et tout homme honorable est supposé faire le vide autour de ses femmes et ses filles. La société, la cohue et la rue, espace extérieur à la maison et lieux du regard, menacent l'honneur des hommes. Le contrôle des femmes par les hommes s'exerce par rapport à ce regard externe. Un homme qui a de l'autorité sur sa famille (**kayaḥkem uladu**) s'investit de prestige aux yeux des autres. Et lorsque les autres évoquent en public ses prouesses autoritaires, il en tire une fierté.

Il serait intéressant d'interroger le statut du regard et de l'oeil dans cette société. Dans la représentation collective l'oeil n'est point un organe anatomique qui n'aurait qu'une fonction visuelle, mais c'est une force sociale et magique menaçante pour l'ordre des choses. On peut dire qu'il y a trois types de regards que les hommes craignent. Le premier c'est ce regard qui scrute et dévisage les gens, et qui transforme les dires en commérages et médisances; le second est cet oeil/regard associé au mauvais-oeil; le troisième est celui qui se porte sur les femmes. Le premier est neutralisé par l'exhibition des signes de l'honneur (richesse et bonne descendance); le deuxième par des symboles magiques et les fumigations,[10] le troisième par la défense de l'honneur.

C'est ce regard scrutateur des autres qui met à l'épreuve l'honneur des hommes. En contrôlant bien les femmes, les hommes ne font que se plier aux exigences de ce regard qui guette la conduite de tout homme. Rien n'est plus humiliant pour un homme que de se voir qualifié et indexé par les autres comme étant "contrôlé par sa femme" (**maghlûb martu**). Un homme qui laisse sa femme décider à sa place bascule du côté du genre animal pour se voir associé au mouton (**hawlî**). "Sa femme dit-on lui a placé les cornes sur la tête "(**dartlu lagrûn**)[11]. La notion métaphorique de `homme/mouton', lorsqu'elle est attribuée à quelqu'un, laisse même suggérer qu'il est cocu; un fait qui jette du doute sur la conduite de sa femme et lui inflige le déshonneur et la honte. C'est ainsi que la hiérarchie entre les sexes qui justifie l'autorité du mari sur sa femme et son monopole de toute prise de décision est constamment maintenue et reproduite par le pouvoir d'un discours sur les conduites. Par le pouvoir de la répétition le discours sous-tend les pratiques sociales et dicte à chaque sexe sa conduite. Tout homme ne pourrait transgresser les normes sociales sans faire face aux commentaires stéréotypés et aux formules toutes faites qui ramènent chacun à l'ordre. Aucun homme ne désire être associé au mouton.

La participation de la femme dans la prise de décision dans le ménage n'est jamais interprétée en tant que telle, mais toujours comme une prise de pouvoir qui déséquilibre l'ordre établi de la hiérarchie domestique. Tous les rapports sont organisés d'une façon à satisfaire l'attente d'un regard. Ceux-ci sont prêts à être théâtralisés devant les yeux de tout spectateur éventuel. Un homme recommande toujours à sa femme de ne pas le gronder devant les gens. Une réprimande émise par la femme à son mari dans l'intimité du couple est parfois tolérable lorsqu'elle se limite à ce cadre, mais elle devient intolérable lorsqu'elle a lieu devant les parents ou les voisins ou des étrangers. Tout se passe comme si devant les regards externes il y a un code à respecter, autrement dit une hiérarchie à respecter.

Dans le contexte marocain, les actes et les gestes sont accomplis en fonction de ce regard des gens. Toute performance spectaculaire (célébration d'événement, dépenses ostentatoires) s'accomplit non pas pour soi mais pour "les yeux des gens" (`ala `inîn nâs). Toute satisfaction de soi passe d'abord par la satisfaction que l'on éprouve lorsque les autres "ont vu" et ont répandu la nouvelle.

Les femmes ont un pouvoir sur le réseau du commérage. "Les paroles des gens" (**klâm nâs**) sont surtout des commérages de femmes. C'est ainsi que les femmes ont un certain pouvoir sur l'information, et qu'elles sont capables de la diffuser en la communicant aux autres. Le commérage fournit aux femmes un moyen pour s'occuper et une arme pour intervenir dans la vie des autres, de l'évaluer et de la juger. Mais le pouvoir que procure le commérage aux femmes est un pouvoir négatif. "Il est parole de femme" (**hdîth la`ayalat**) avec tout ce que cette formule comporte comme connotation péjorative (Bourqia, R.,1990). Cette parole est certes discréditée, mais elle devient menaçante lorsque les hommes prennent le relais. Il faudrait souligner que le commérage n'est pas le propre des femmes; les hommes prennent la relève dans des cafés et dans les réunions masculines, où chaque mari diffuse sa version de ce que sa femme lui a raconté. C'est cette diffusion généralisée des nouvelles qui devient "parole de gens" (**hadra d-nâs**). Insaisissable, cette parole circule de bouche en bouche pour n'aboutir nulle part. A chaque étape de son itinéraire elle se fixe sur une oreille pour devenir inoubliable et par conséquent, toucher dans son l'honneur celui qui en est la victime.

C'est ainsi que les yeux, les oreilles (des autres) et la langue, sont des sens aux aguets pour apprécier, condamner, autrement dit juger les actes et les dires des gens. Ce contrôle social fonctionne à travers ce voyeurisme collectif diffus dans l'ethos culturel. Il n'est arrêté que par son antipode l'exhibitionnisme. On exhibe les richesses et les biens, lorsque les moyens matériels le permettent, on exhibe les signes de l'honneur pour aveugler le regard du voyeur. C'est dans ce contexte que doit être appréhendée l'importance de la virginité et l'exposition de sa preuve devant les regards des spectateurs le jour du mariage. La logique de cacher l'intime et montrer ce qui est public est transgressée dans ce cas. On expose au public l'intime dans sa forme la plus absolue :le pantalon taché de sang. L'intime se dévoile donc au public lorsqu'il est source d'honneur. Par contre on le cache lorsqu'il est source de déshonneur. La dialectique de cacher et montrer aux regards obéit donc au code de l'honneur. Exposer les signes d'honneur c'est toujours montrer et démontrer cet honneur devant les regards jaloux dans une ambiance spectaculaire. Le regard de l'autre où le sujet "peut se voir dans ses imperfections et son accomplissement"[12] n'est que celui du voisin du parent lointain, des gens du quartier, c'est-à-dire de ceux avec qui on partage le terrain de la compétition pour accumuler le prestige et l'honneur.

Il existe un autre type de regard qui met à l'épreuve l'honneur d'un homme, c'est celui qu'un autre homme porte sur sa femme et qui déclenche sa jalousie, cette composante importante de l'honneur. Il n'y pas d'honneur sans jalousie. L'honneur veut que le mari le père le frère se réservent le "droit du regard" impérativement imposé par ce Malek Chebel appelle "le syndrome de l'appropriation" (Chebel, M.,1988). Ce droit de regard est défendu par la jalousie; cette angoisse obsessionnelle qui habite tout homme d'honneur et qui est toujours en éveil pour mettre de la distance nécessaire entre "ses femmes" et le regard des autres.

Cette angoisse n'est que signe de la vulnérabilité d'un pouvoir, continuellement confronté au défi. Paradoxe de la domination masculine qui se veut absolutiste et se révèle vulnérable. Pour l'homme le fait de garder la femme, la cloîtrer derrière les murs, contrôler son mouvement dans l'espace, autrement dit la cacher, traduit la peur qu'il a de son regard. En fait, le jaloux serait angoissé par son propre regard, celui qu'il porte lui-même sur d'autres femmes (Chebel,M. 1988).

La jalousie fait partie de l'ethos culturel de l'Oriental. Un auteur de la région, Kaddour al-Wartassi, en dissertant sur le rôle qu'a joué la tribu des Beni Znassen dans le mouvement national, relève avec fierté la jalousie comme une caractéristique des gens de cette région. Il écrit: "Les Beni Znassen se caractérisent par la forte jalousie sur les femmes et les biens. Mais la jalousie sur les femmes est encore plus accentuée. Le Yaznasni pourrait être tolérant en toute matière, mais pas en ce qui concerne la jalousie pour ses femmes...Ils [Beni Znassen} ont battu le record de cette jalousie; le moindre racontar pourrait éventuellement aboutir au meurtre." (Wartâssi,K., 1976). Le discours local confirme ce témoignage.

Ne dit-on pas au Maroc que "les hommes de l'Oriental sont jaloux"? Cette jalousie ne fonctionne pas sans violence dédramatisée par le consentement des femmes. Ce n'est pas sans fierté que la femme dira que "mon mari est coléreux (**qbîh**) ou jaloux (**kayghîr**), pour dire qu'il tient à moi et qu'il m'aime. Voilà une façon de consentir à l'aliénation et de dédramatiser la soumission.(Chebel, M, 1988).

31

Cependant, le sens de l'honneur est entrain de subir une épreuve impo- sée par le changement que connaît la société globale et les conditions de vie urbaine. On ne pourrait plus dire ni mettre en pratique l'adage qui dit "la lessive de l'honneur ne se coule qu'au sang".(Pitt-Rivers,1966). La condition sociale des familles pauvres commence à détrôner le pouvoir du père et celui du mari. Nécessité oblige ! Parmi les familles interviewées 5 % envoient leur fille de quatorze quinze ans travailler chez des familles aisées. Il est vrai que ce pourcentage est dérisoire mais constitue néanmoins un indicateur de changement. Par fierté beaucoup de familles ne l'avouent pas aux voisins et aux étrangers. Le travail, non prestigieux (comme bonne) des filles ne se passe pas sans les commérages des gens et sans porter de préjudice à l'honneur de la fille et de la famille. Ce n'est pas sans souffrance que le père accepte que ses filles sortent de la maison pour travailler. Ce faisant, il renonce à toute compétition sur le terrain de l'honneur, signe de son humiliation.

Plusieurs codes viennent actuellement dérouter les règles du code de l'honneur qui est en place. L'instruction des filles, bien que limitée, commence à imposer d'autres règles de conduite, telles que le recul du voile traditionnel. Les femmes instruites ne portent plus le voile, un fait que le code de l'honneur commence à accepter. Le code topographique rentre en jeu pour perturber les lois de l'honneur. Les femmes venues d'ailleurs, non seulement les occidentales, mais aussi les algériennes les marocaines de Fez, de Rabat ou de Casablanca, ou d'autres régions du Maroc ne portent point le voile et introduisent une nouvelle image de la femme.

Toutefois, le code de l'honneur se crée de nouveaux espaces, prend des détours pour s'exprimer à travers d'autres canaux. Il prend une autre forme lorsqu'il fonctionne d'une manière souterraine à travers le code islamiste qui voudrait que les femmes portent le **hijâb**.

BIBLIOGRAPHIE

Abou-Lughod, Lila, 1985. "Honor and sentiment of loss in a Bedouin society", *American Ethnologist,* vol. 12, number 2.

Baudrillard, Jean, 1976 *L'échange symbolique et la mort*, Gallimard, Paris.

Bourdieu, Pierre, 1966. "The sentiment of honor in Kabyle society", in Peristiany, J.G.(Ed.), *Honor and Shame. The Values of Méditerranean Society*, The University of Chicago Press.

Bourdieu, Pierre, 1980. *Le sens pratique*, Ed.Minuit, Paris.

Bourqia, R. 1990. "La femme et le langage", in Mernissi (S.D.), *Femmes et pouvoirs*, Col. Approches.

Campbell, J.K., 1964. *Honor, Family and Patronage. A study of Institutions and Moral Values in a Greek Mountain Communauty*. Clarenton Press, Oxford.

Chebel, Malek, 1984. *Le corps dans la tradition au Maghreb* PUF, Paris.

Chebel, Malek, 1988. *L'esprit de sérail. Perversions et marginalités sexuelles au Maghreb*. Lieu Commun/Terres des Autres.

Duncan, S.James, 1982. "From container of women to status symbol: the Impact of Social Structure on the Meaning of the House", in Duncan,S.James (Ed.), *Housing and Identity. Cross-cultural Perspectives,* Holmes and Mier Publishers, Inc., New York.

Eliade, Mircea, 1965. *Le sacré et le profane,* Gallimard, Paris.

Hatch, Elvin, 1989. "Theories of Social Honor", *American Anthropologist,* vo.91, number 2.

Libaud, Geneviève, 1986. *Symbolique de l'espace et habitat chez les Beni Aissa du Sud Tunisien,* Ed. et préface de Pierre Robert Baduel, Ed.CNRS.

Naim-Sanbar, 1989. "Du heurtoir à l'antichambre: les noms de la porte à Sanaa", *Maghreb-Machrek,* Espace et sociétés dans le monde arabe, Janv.-Fevr.-Mars.

Pitt-Rivers, J., 1966. "Honor and social status", in Peristiany, J.G.(Ed.), *Honor and Shame. The Values of Méditerranean Society*, The University of Chicago Press.

Pitt-Rivers, J. 1977. *L'anthropologie de l'honneur. La mésaventure de Sichem.* Traduit de l'anglais par Jacqueline Mer, Le Sycomore, Paris.

Rapoport, Amos, 1969. *House, Form and Culture,* University College, London, Printice Hall, Inc., Englewood Cliffs, N.J.

Raymond, André, 1989. "Espaces publics et espaces privés dans les villes arabes traditionnelles, *Maghreb-Machrek,* Espace et sociétés dans le monde arabe, Janv.-Fevr.-Mars.

Robben, M.Antonius, 1989. "Habits of the home: spatial hegemony and structuration of house and society in Brazil", *American Anthropologist,* vol.91, Number 3, Sept.

Wartâsi, Kaddûr, 1976. *Banû Yaznâsen `abra kifâh al-watanî,* Dar al-Maghrib, Rabat.

NOTES

1- Cet article est tiré d'une version remaniée d'un chapitre d'une étude que nous avons réalisée sur Femmes et Fécondité. Ed. Afrique Orient 1996.

2- Sur la continuité et la discontinuité de l'espace, voir Mircea Eliade, *Le sacré et le profane*, Gallimard, Paris, 1965.

3- Même dans les milieux urbains, certains quartiers populaires portent encore le nom de **douar** Tel. La résistance du vocable traduit là une continuité d'une manière rurale de se représenter l'espace citadin.

4- C'est dans ce contexte que G.Libaud op.cit. écrit: "Les élèments essentiels, ceux qui commandent à la logique du modèle font objet d'un consensus tel que toute directive de l'architecte serait superflue: La personnalité du chef de famille fait place à celle du groupe; la conception individuelle qu'à la famille de son habitation passe par la conformité au modèle". (Libaud, G.1986:112).

5- Dans le passé le **hayek** était généralisé. Toutes les femmes le portaient lorsqu'elles se rendaient à l'extérieur. Aujourd'hui les jeunes filles, surtout celles qui sont scolarisées, ne le portent plus. Certaines l'ont remplacé par la **djellaba**.

6- Comme l'écrit J.Duncan :"les objets qui sont régulièrement exhibés sans être consommés sont les plus utiles", pour éblouir d'une façon constante les regards étrangers (Duncan,J.S.,1982).

7- **hjab** veut dire littéralement protection ou le protecteur.

8- On pourrait trouver d'autres variantes dans d'autres régions du Maroc et du Maghreb. A propos du nif M.Chebel écrit:"La respectabilité est symbolisée dans l'aire maghrébine par cette notion complexe, de nif, mélange savamment dosé entre les nécessités relationnelles qui ressortent d'un besoin social, la personnalité de l'individu propre, son caractère, sa nature particulière et l'équilibre à la fois harmonieux, paisible et autoritaire, de celui qui en est le dépositaire" (Chebel, M., 1984:49).

9- Campbell décrit le même phénomène à propos de la Grèce. Voir Campbell, 1964. Voir aussi Abu-Lughod Lila, 1985.

10- Sur l'oeil M. Chebel écrit: "L'oeil et le symbolisme qui lui est rattaché dans les représentations de la sphère maghrébine sont d'une extrême étendue. Les traditions orales et, a priori, mentales, psychologiquement stables et structurées, procèdent directement de l'oeil, non pas seulement comme organe anatomique doué d'une fonction, d'une physiologie originale, et complexe, mais aussi et surtout parce qu'il est l'élément identitaire d'une force suprahumaine qui siégerait dans l'axe même de sa focale, à un plan précis de l'"émission visuelle"; car l'oeil a toujours été associé au contexte de la défense et de la protection" (Chebel, M.1984:41).

11- Pour une comparairison avec d'autres pays de la Méditerrannée, voir Block Anton: "Rams and billy-goats: a key to the mediterranean code of honor", *Man*, 16, pp.427-40.

12- L'expression est de Baudrillard, *L'échange symbolique et la mort*, Gallimard, Paris, 1976, p.158

FÉMINITÉ ET MASCULINITÉ DANS LA SOCIÉTÉ RURALE MAROCAINE :
Le Cas D'Anjra

Mokhtar EL HARRAS

*C*ette étude concerne l'extrême Nord-Ouest du Maroc, et plus précisément la tribu d'Anjra qui se situe entre les villes de Ceuta, Tanger et Tétouan. Etant seulement à onze kilomètres de L'Espagne, elle fut pourtant, depuis des siècles, une zone de résistance aux tentatives chrétiennes de pénétration par le nord du Maroc. Sa cohésion tribale en fut renforcée, et son attachement à l'Islam et aux valeurs traditionnelles devint le symbole de la défense du territoire et de l'identité.

Toutefois, l'établissement du Protectorat espagnol déclenchera l'évolution progressive de cette société vers le relâchement de la pression collective et l'apparition de pratiques et de rapports interpersonnels à caractère plutôt individualiste. La densité urbaine de la région, autant que la proximité géographique de l'Europe, nous ont incité à nous poser des questions à propos d'un changement éventuel des notions de féminité et de masculinité, ainsi qu'à propos des conséquences pratiques qui en ont résulté, et ce, dans une société rurale où l'incidence sociale du domestique et du public diffère de celle prévalant en ville, et où le pouvoir peut provenir aussi des lieux supposés secondaires et marginales.

1 - Image de la féminité et de la masculinité à Anjra

Concernant la conception de la féminité et de la masculinité chez les Jbala[1], nous sommes d'abord redevables au témoignage d'Edward Westermarck. Cet auteur a certes étudié plusieurs régions au Maroc, mais les tribus du Nord méditerranéen, et surtout Anjra, furent relativement privilégiées. N'étant pas seulement un terrain d'enquête mais aussi un site où l'anthropologue finlandais se plaisait de passer d'assez longs séjours, Anjra reçut de sa part une plus grande attention. Le travail de terrain qu'il y réalisa au début du XXe siècle lui avait permis de collecter non seulement des pratiques magiques et des croyances telles que le mauvais oeil, la **baraka** et autres, mais aussi des rites et des proverbes particulièrement révélateurs des représentations qui se sont forgées autour du rapport des sexes. Les récentes interviews que nous y avons faites nous ont prouvé que les Anjris actuels non seulement s'en souviennent mais en font toujours usage et en tirent les conséquences pratiques qui leur paraissent correspondre le plus à leur vision de l'autre sexe. L'image sociale qui s'en dégage établit une nette hiérarchisation entre les hommes qui sont perçus positivement, et les femmes qui sont évaluées plutôt négativement. Les citations et les proverbes rapportés par E. Westermarck en révèlent clairement la nature : "Il est un dicton qui dit que lorsque un garçon est né cent démons malfaisants naissant avec lui, et lorsque une fille est née cent anges naissent avec elle. Mais chaque année un démon passe de l'homme à la femme, et un ange de la femme à l'homme, en sorte qu'au moment où l'homme atteint l'âge de cent ans il se trouve entouré par cent anges, et au moment où la femme atteint l'âge de cent ans elle se trouve entourée par cent démons" (Westermarck,1968:7). Le même auteur cite aussi un autre dicton qui nous semble assez significatif à cet égard : "Si des hommes jurent qu'ils te feront du mal, passe ta nuit endormi ; si des femmes jurent qu'elles te feront du mal, passe ta nuit éveillé" (Westermarck, Survivances :80). Dans le même sens, Il rapporte dans son livre *"Wit and Wisdom in Morocco"* une série de proverbes collectés à Anjra qui consacrent, dans une large mesure, la ségrégation des sexes ainsi que l'infériorité et la dépendance féminines (Westermarck, 1931).

Commençons d'abord par présenter certains proverbes relatifs aux femmes avant de passer par la suite à présenter ceux qui sont relatifs aux hommes :

"La ruse a vaincu la virilité" ; "les femmes manquent de fois et de raison" ; "le malheur causé par les femmes est un supplice qui ne s'oublie jamais" : "l'intrique des femmes est puissante, tandis que l'intrigue de Satan est faible" ; "la femme a peur des cheveux blancs, comme le mouton a peur du loup" ; "lorsque la femme vieillit il n'en reste que le poison et la couleur du souffre" ; "si vous voyez une vieille femme avec un chapelet, ne doutez point alors qu'elle est Satanique" ; "ce que fait Satan en une année, la vieille femme le fait en une heure" ; "les femmes sont un bateau en bois, celui qui y embarque est perdu" ; "la soumission aux femmes mène à l'enfer" ; "celui qui se marie avec une jeune femme acquiert biens et provisions" ; "celui qui va trop au lit avec la femme, risque de devenir aveugle" ; "ne vous mariez pas avec une femme ayant de l'argent, elle vous traitera avec mépris et vous demandera d'aller chercher de l'eau" ; "la femme du riche est respectée lors même que ses vêtements sont en loques"; "la femme du pauvre est méprisée même lorsqu'elle se pare d'or et d'argent ...".

Il est clair, d'après ces proverbes, que la femme est d'abord concernée par son corps, qu'elle incarne le mal, la menace à l'ordre social et la déraison, et qu'elle est prête, surtout si son âge est assez avancé, à faire usage de toutes sortes d'astuces et d'intrigues en vue d'arriver à ses fins[2]. Elle est présentée aussi non point comme une personne autonome, mais plutôt comme un être qui se définit d'abord par sa relation à l'homme. Et le seul niveau où la femme semble être évaluée positivement est celui de la procréation.

Essayons maintenant de voir quelle image de l'homme se dégage des proverbes anjri : "si le jebli était en or ses testicules auraient été en zinc" ; "les hommes se révèlent au voyage" ; "n'attends aucun bien de la femme qui se promène, mais non plus aucun bien de l'homme qui ne se promène pas" ; "il n'y a pas d'homme sans hommes" ; "ce sont les hommes, non les femmes et les enfants qui sont patients" ; "si vous riez avec le chien il vous léchera les moustaches" "le bien fait aux hommes est un crédit, mais fait aux ingrats est une aumône" ; "un homme tue le lion au désert et un autre homme fut tué par une souris à la maison" ; "l'homosexuel est méprisable durant le jour et la nuit" ; "est femme, fils de femme, celui qui allume la lampe à gaz au clair de la lune" ; "donne naissance à un enfant de sexe masculin et jette-le dans la mer" (ou "dans les épines" selon une autre version) ; "la beauté de l'homme est dans son esprit, tandis que l'esprit de la femme est dans sa beauté" ; "pour ton fils choisis le beau paysage, mais pour ta fille choisis les bonnes terres"...

L'image que ces proverbes présentent de l'homme est largement positive, en ce sens que les qualités humaines les plus appréciées telles que la raison, le courage, la patience, la force et la dignité semblent lui être étroitement liées. Se définissant essentiellement par opposition à la féminité, la masculinité risque de se dégrader au cas où l'homme s'identifie plus qu'il ne lui est dû à la sphère privée des femmes, ou s'il s'avère incapable d'assumer son rôle de protecteur de sa famille. Il perdra son autorité et sa dignité d'homme s'il se laisse "lécher les moustaches", ou "s'il ne prouve pas que ses testicules sont plus qu'un simple symbole de virilité". A l'encontre des femmes pour qui l'identification au masculin leur attire plutôt de l'admiration, les hommes éprouvent la peur d'avoir dans leurs gestes, paroles, sentiments ou manières de s'habiller un quelconque relent de féminité. La sociabilité des hommes, particulièrement au café et à la mosquée, constitue indubitablement un cadre privilégié autant pour exprimer que pour raffermir leur masculinité [3].

Ces dictons et proverbes d'après lesquels la femme - et en particulier la vieille femme représente plutôt le mal et la déraison, au moment où l'homme représente le bien et la raison imprègnent jusqu'à l'heure actuelle la mémoire et la pensée des **Anjri**. L'enquêteur de terrain ne peut qu'être surpris de la ténacité avec laquelle les hommes, et à un moindre degré les femmes, entérinent toujours, en usant parfois de nouvelles formes expressives, une telle conception de la masculinité et de la féminité.

Afin de donner une idée générale sur l'état d'évolution des esprits, du temps où E. Westermarck avait recueilli les proverbes d'Anjra à la période actuelle, nous présenterons dans ce qui suit les opinions de certains interviewés et leurs représentations les plus récurrentes à propos de la nature de la masculinité et de la féminité. On peut citer les suivantes : "l'homme demeure lui-même partout où il va" ; "l'homme quel qu'il soit, est toujours charmant" ; "on ne peut s'en tenir qu'à la parole de l'homme" ; "la femme est sous la tutelle de l'homme, c'est lui qui s'en charge" ; "c'est l'homme qui choisit la femme, non le contraire" ; "l'homme apporte et la femme encaisse"; "la femme est plus puissante en sexualité, mais l'homme est supérieur au travail" ; "qu'il me donne à manger la viande et la graisse même s'il est noir comme du charbon" ; "il est du devoir de la femme d'être pudique et patiente avec son mari" ; "la femme patiente préserve sa maison"...

L'image qui ressort de ces opinions se situe sur la même longueur d'onde que les proverbes susmentionnés, puisque là encore nous avons affaire à l'homme en tant qu'individu qui persévère dans son être quelques soient les circonstances, qui s'impose en tant que sujet ayant en mains l'initiative quant au rapport à l'autre sexe, et qui, en plus, exerce à son égard les fonctions de nourricier, tuteur et protecteur. La respectabilité que l'homme doit à la femme semble provenir non seulement de la "supériorité" de la sphère publique sur la sphère privée, ou du fait que c'est l'homme qui apparemment subvient aux besoins de sa famille, mais aussi et surtout, du simple fait d'être homme. A tel point qu'il ne serait peut être pas exagéré de dire que pour cette société il est plus important d'être homme que d'être un bon ou mauvais homme, caractérisé par plus ou moins de défauts ou de qualités.

Qu'en est-il des opinions relatives à la femme ?

"Les femmes sont l'échelle de Satan, il monte sur leur dos"; "les femmes ont quatre-vingt-dix neuf désirs, tandis que l'homme n'en a qu'un seul" ; "il ne faut pas avoir confiance en sa femme même après quarante ans de vie commune" ; "pouvez-vous faire confiance au serpent alors qu'il partage avec vous le même lit" ; "la femme est comme la queue du coq, le vent qui vient l'emporte dans sa direction" ; "la femme d'aujourd'hui est comme les vêtements d'aujourd'hui, elle se déchire rapidement" ; "la liberté des femmes doit rester dans les limites de la maison" ; "si l'homme ne frappe pas sa femme chaque dimanche, il ne pourra jamais lui imposer des limites" ; "si vous voyez une femme libre, soyez alors certain qu'elle a fait manger à son mari une oreille d'âne" ; "consultez la femme, mais faites ce que vous considérez qu'il est de votre devoir de faire"; "la parole des femmes c'est comme la prise du vent dans ses mains"" ; "si une vieille femme prend position en haut du village, et une autre en bas du village, Satan ne pourra jamais y entrer" ; "la femme divorcée dans le village, c'est comme un abcès dans le dos" ; "les femmes sont la cause du mal, elles ont fermé la porte du bien; si vous voyez deux voisins en train de se disputer, sachez que les femmes en sont la cause".

De ces opinions exprimées uniquement par des hommes, il ressort que les femmes représentent une menace pour leur quiétude et stabilité, et ce par le biais des intrigues et des machinations dont elles font usage pour déclencher des conflits et contrôler la vie des hommes. Et d'autant leur âge est avancé, d'autant leur alliance avec Satan se renforce et leurs diableries deviennent plus dangereuses. L'absence de principes régulant le comportement des femmes, et leur sexe alité prétend dûment insatiable exigent, d'une part, qu'elles ne soient jamais prises au sérieux, et d'autre part, quelles soient mises sous la tutelle des hommes et confinées à la sphère privée.

C'est précisément cette image négative de la féminité qui justifie, dans une grande mesure, le recours des hommes d'Anjra autant à restreindre la mobilité des femmes, qu'à maintenir la pression idéologique et morale sur leur conduite et leur mode de vie. Le souci des hommes de sauver les apparences et de préserver intact leur honneur et celui de leur famille incite à persister, quoique de façon moins sévère que par le passé, à contrôler la liberté des femmes.

2 - Tentatives de contrôle des femmes

a - Les contraintes de l'espace

Le fait que l'espace domestique est de nature essentiellement féminine justifie, dans une large mesure, qu'il soit clôturé, et partant, plus ou moins protégé à l'égard des intrusions extérieures. Au sein de cet espace dont les trois composantes essentielles sont la maison proprement dite, l'étable et le petit jardin, la femme **anjri** assume la responsabilité majeure, et dispose de la liberté de mouvement et d'organisation du travail. Elle y est même devenue, du fait de la méfiance et de l'hostilité régnant à l'extérieur, le membre le plus important de la famille, et le refuge le plus rassurant vis-à-vis de l'insécurité et de la désintégration des rapports communautaires.

Sur la scène publique la femme dispose encore de petits espaces qui lui sont liés en priorité, tels le lieu de lessive, la source d'eau et la partie de la forêt où l'on s'approvisionne en bois. Même si l'homme participe parfois, c'est la femme en fait qui se charge, la plus part du temps, d'apporter l'eau et le bois à la maison et de laver le linge sale. Il s'agit donc fondamentalement d'espaces de travail où l'activité féminine constitue, dans une large mesure, une extension du travail domestique de la femme, avec cependant comme aspect particulier, le fait qu'elle ait lieu dans un cadre de sociabilité qui diffère de l'isolement relatif au travail effectué à la maison. L'échange d'informations qui s'y fait, avec ce qui en dérive comme pouvoir et contrôle sur la vie des hommes, compense relativement pour ces femmes la nature brisée de leur espace, et ce qui en est le corollaire, les déplacements de longues distances entre la résidence permanente et ces lieux de travail et de communication. Sur le chemin de la maison, elle se retrouve de nouveau dans l'espace masculin. Autant par l'allure de sa marche que par son regard, elle ne devrait pas donner l'impression qu'elle s'y trouve dedans, mais plutôt en train de le traverser : "Si portant un bidon d'eau une jeune fille s'arrête pour se reposer et s'attarde plus qu'elle ne devait, elle ne manque pas alors d'attirer l'attention et de susciter des commentaires à propos de la moralité de sa conduite".

En débit cependant de la dispersion relative de cet espace, il n'en demeure pas moins que cette société restreint la mobilité féminine. D'abord en lui présentant le monde extérieur comme étant hostile et comportant des dangers éventuels pour son honneur et sa dignité, d'autant plus si elle est jeune, ou si elle s'aventure toute seule en dehors des sphères villageoises habituellement fréquentées. Ensuite, en la décourageant par différents moyens en vue de la retenir autant que possible au sein de l'unité domestique : il n'est point possible - socialement et culturellement - pour une femme d'Anjra de conduire elle-même des moyens de transport tels qu'une bicyclette, une motocyclette ou une voiture en vue d'élargir le champ de sa mobilité. On lui permet, certes, de monter l'âne ou la jument, mais ils ne lui servent que pour de courts déplacements, et dans le meilleur des cas elle en fait usage pour aller au souk. En outre, la responsabilité, essentiellement féminine, des soins octroyés aussi bien aux enfants qu'aux vieillards en est une autre limitation. Dans le même sens, l'idéologie patriarcale proclamant la fragilité "naturelle" de la femme, s'est aussi enracinée dans l'esprit de nombreuses femmes rurales qui s'en font actuellement une justification pour rester, la plupart du temps, à proximité de la maison.

Le seul domaine peut être où la mobilité féminine est structurellement ancrée dans cette société est bien celui du mariage où la jeune mariée se voit obligée, dans la plupart des cas, de quitter la maison parentale, alors que le jeune marié, son frère, pourrait, s'il trouve de quoi faire vivre sa future famille, demeurer dans sa maison native, ou s'installer tout-à-fait à proximité d'elle, bénéficiant ainsi de toute l'assurance matérielle et psychologique que procure d'ordinaire le fait de disposer de ressources familiales, et de vivre dans un environnement sociale et économique intensément familier et sécurisant. Aussi les soeurs mariées à l'extérieur sentent-elles la nécessité de visiter de temps à autre leur maison native en vue d'échanger des informations et de recevoir le support moral dont elles ont grandement besoin. Les fêtes religieuses et familiales en sont d'habitude des occasions privilégiées. Certes, les soeurs se rendent visite les unes aux autres, mais ce qui est courant est le fait qu'au milieu de la dispersion féminine la maison parentale demeure le centre unificateur par excellence, le refuge ultime en cas de divorce ou de décès du mari (Shirley, A.1981:21 et 28-29).

Dans l'espace plus large des champs entourant le village, c'est la volonté masculine qui prédomine. L'espace masculin se trouve aussi sur tous les lieux situés "dans le village"[4], et où les femmes ne peuvent y être présentes que de façon transitoire. Et si cette ségrégation sexuelle se prolonge encore au niveau de certains rites sociaux et religieux tels le **saba`**, les noces ou les cortèges funéraires, elle s'en trouve presque totalement contredite par les rapports entre les sexes le jour du souk hebdomadaire, ainsi que par la participation féminine au travail des champs - beaucoup plus fréquente d'ailleurs que celle des hommes dans le cadre domestique - et l'interaction, familiale et familière, entre voisins. Modifiant les principes mêmes de ségrégation spatiale dans cette société, de telles pratiques - nécessité oblige - ne sont pourtant point réprimandées par les hommes qui peuvent vous dire, sans aucune gêne, que leur femme se trouve au souk, ou en train d'effectuer un travail agricole sur l'exploitation familiale. Et si l'homme **anjri** accepte la compagnie de sa femme sur le chemin traversant le village ou menant au souk, il tente quand même, dans le plupart des cas, de la devancer, ou de monter une jument tout en la laissant traîner à sa suite. L'image de la supériorité masculine s'en trouve ainsi sauvegardée.

Sous l'influence grandissante de la ville, le rapport des femmes à l'espace est en train de se modifier, en sorte qu'un nombre non négligeable de celles qui contribuaient auparavant au travail de la terre, s'occupent à l'heure actuelle uniquement de leur ménage, alors que celles qui étaient plus ou moins recluses trouvent moins de résistance pour sortir de l'enceinte domestique.

La présence des jeunes femmes au souk hebdomadaire est un fait nouveau dans cette société rurale. A l'encontre de la ségrégation sexuelle qui sévit lors des mariages ou des célébrations de naissance et de circoncision, le jour du souk permet aux hommes et aux femmes mariées du douar, ou même des douars voisins, de se rencontrer dans la fourgonnette ou de marcher ensemble en direction du souk. Alors que ce déplacement était permis auparavant uniquement aux femmes dont l'âge fut assez avancé, l'évolution sociale s'est faite de telle sorte qu'aussi bien les jeunes filles que les jeunes femmes y participent à l'heure actuelle, élargissant ainsi la sphère des contacts entre les deux sexes.

En outre, la femme à Anjra peut aller toute seule en ville, sortir de sa maison pour visiter ses amies ou ses parents, et même parler avec des hommes hors du cadre familial ou villageois. Mais alors qu'un tel comportement passe totalement inaperçu quand il s'agit d'une femme assez avancée dans l'âge, et suscite quelques réticences lorsqu'il se rapporte à des jeunes mariées, il est fortement déconseillé entre jeunes célibataires de sexe différent. Un tel comportement est aussi plus ou moins accepté selon l'appartenance sociale de la femme. L'ouverture sur la scène publique étant assez souvent plus limitée pour les femmes des catégories sociales supérieures.

Alors que les femmes des couches sociales inférieures n'ont pas grand-chose à perdre en quittant l'enceinte domestique. Le comportement des femmes n'est donc plus homogène : il y en a celles qui vont toutes seules au souk, alors qu'il n'en est pas question pour les autres ; il y a des femmes pauvres qui vont travailler dans des douars lointains, mais il y en a d'autres qui trouvent dévalorisant d'aller travailler hors du cadre familial, et font de leur réclusion relative une preuve de la sauvegarde de leur honneur. La nature de l'organisation sociale dans laquelle s'insère la vie quotidienne de la femme rurale dépend autant de l'étape qu'elle traverse dans son cycle de vie (Davis Schaeffer, S.1980), que de la catégorie sociale à laquelle elle appartient. Elle pourrait s'incarner soit en des rapports sociaux limités, personnalisés et dépassant rarement le cadre du douar, soit au contraire s'actualiser à plus large échelle, et au sein de relations relativement anonymes et impersonnelles. L'incidence du code de l'honneur n'étant pas la même pour toutes les situations, la pratique sociale qui en résulte pourrait donc mener soit à restreindre - avec des degrés variables - la mobilité féminine, soit permettre une plus grande ouverture sur l'extérieur et une présence féminine plus régulière dans l'espace masculin.

Toutefois, ce décalage au niveau des faits entre deux sortes de comportement féminin ne signifie aucunement qu'il en est de même au niveau des normes et des valeurs sociales. L'idéal féminin demeure, dans les deux cas, fondamentalement incarné par l'identification de la femme au travail domestique.

b - L'impact de l'idéologie de l'honneur

S'il y a dans la société marocaine actuelle des valeurs sociales et culturelles qui résistent le plus aux processus de changement, ce sont bien celles relatives aux questions d'honneur et de honte. En dépit des changements structurels survenus au Maroc lors des dernières décades, les valeurs de **l-`ird** et de **sharaf** continuent toujours de légitimer - avec des degrés variables selon la région et la catégorie sociale - les rapports sociaux et les comportements individuels.

L'équivalent de l'honneur chez la femme c'est la honte (Pitt-Rivers, 1986:224-225). Elle constitue, depuis sa naissance, une partie intégrante de sa féminité. Autrement dit, une femme doit manifester son honneur en se montrant timide, réservée et même craintive devant une assemblée d'hommes. Elle doit l'exprimer à travers la reconnaissance de son infériorité et de sa dépendance à l'égard des hommes. Alors que l'honneur masculin est lié entre autres, au courage, à l'initiative et à la force du caractère.

Dans la société d'Anjra les rôles féminins et masculins sont relativement bien délimités. En tous cas, c'est ce que nous pouvons en déduire des conceptions exprimées par nos interlocuteurs à Anjra. Le renversement des rôles sexuels implique, pour l'honneur **anjri,** un déshonneur certain. Afin de conserver son identité sociale masculine, il ne doit ni pleurer, ni imiter les femmes au niveau de son parler, de ses gestes, de ses habits et de son comportement en général. De même, il est déshonorant pour un homme de passer une grande partie de son temps à effectuer des petits travaux à la maison ou dans le jardin qui lui est attaché. A l'égard de cet espace essentiellement féminin

l'homme doit montrer, sous peine de voir sa masculinité mise en doute, un certain degré d'éloignement et de détachement. Il n'en demeure pas moins qu'au niveau des rapports entre les deux sexes, l'homme **anjri** actuel est devenu "plus doux" et moins résistant à l'égard du pouvoir féminin", et donc" ayant moins d'honneur que les hommes durs d'antan"qui faisaient de la ségrégation des sexes et de la domination des femmes le signe majeur de leur masculinité : "Les hommes ont cessé d'exister dans cette tribu depuis que les Espagnols les ont désarmé. Les femmes qui n'osaient pas sortir auparavant le font aujourd'hui à grande échelle. Et si un homme voit, à l'heure actuelle, une femme de sa famille parler à un étranger, il détourne son visage et fait semblant de ne rien voir". Alors que les femmes qui prouvent aujourd'hui leur capacité d'adopter - lorsque les circonstances l'exigent - des comportements masculins, suscitent l'admiration de leur environnement social.

La valorisation de l'honneur familial dans la société d'Anjra implique, entre autres, qu'on doit marier une jeune fille le plus tôt possible, restreindre ses activités dans le cadre domestique et empêcher qu'elle soit scolarisée, ou au moins, qu'elle puisse accéder au stade de l'enseignement secondaire - Il en a résulté le fait que le taux de fécondité de la femme à Anjra continue plus ou moins à être aussi élevé que par le passé, démontrant ainsi que l'emprise idéologique de l'honneur ne s'est pas encore suffisamment relâchée au point d'avoir des incidences démographiques[5]. De même, le refus de la plupart des familles chez les gens d'Anjra, d'abord de la mixité dans l'école primaire, et puis de la scolarisation des filles au niveau du secondaire, démontre, là encore, la persistance relative des agissements selon les exigences du code de l'honneur[6].

Et lorsque à une fille pubère et "en âge de se marier" on ne permet point la poursuite des études en ville, on comprend alors parfaitement qu'on lui interdise aussi, pour les mêmes raisons, de porter des habits autres que ceux qui sont consacrés par la tradition locale. Jusqu'à l'âge de dix ans à peu près, la petite fille porte des habits citadins, mais dès que son corps commence à "susciter des regards", on lui impose le port de l'habit **jebli**, le plus conforme à leurs yeux au sens de l'honneur et de la pudeur. Sa nature volumineuse dispense bien cette société de recourir à la réclusion des femmes, ou de ressusciter des pratiques anciennes telles que le crime d'honneur ou les rites de virginité. Couvrant pratiquement toutes les parties du corps, il constitue en quelque sorte un enfermement de la sexualité féminine. Vu que les organes génitaux de la femme lui rappellent d'abord les dangers d'une honte éventuelle, l'expression de sa sexualité se fait, en particulier, au niveau de la tête. C'est justement ce transfert qui justifie aujourd'hui le fait que toutes les femmes couvrent leur tête avec un fichu ou un foulard qui signifie alors qu'elles sont, pour ainsi dire, fermées et protégées vis-à-vis du regard masculin. En sorte que si un dévoilement de la tête se produisait dans cette société, il aurait immédiatement le sens d'une invitation sexuelle.

Lorsque la fille atteint l'âge de seize ans, le comportement "normal" à son égard, disent les gens d'Anjra, est de chercher à la marier le plus tôt possible[7]. Son "désir de rejoindre un mari éventuel prime alors chez elle l'attachement à sa famille. A l'instar de la jument lorsqu'elle voit du fourrage, son regard devient braqué sur lui. Ceci en plus du fait qu'une fille à la maison est comme un "serpent venimeux". "Mieux vaut alors que ce soit la femme d'un tel que la fille d'un tel". Le comportement immoral d'une jeune fille déshonore son père, car on aurait tendance à dire qu'il n'a pas su marier sa fille à temps, et partant, assume partiellement la responsabilité de son méfait, tandis que celui de la femme mariée déshonore d'abord son mari auquel on reprocherait le fait qu'il n'a pas su bien contrôler les relations de sa femme.

Identifiées d'abord à l'unité domestique et aux fonctions qui lui sont inhérentes, les femmes réagissent cependant de telle sorte que les restrictions qui leur ont été imposées sont devenues la source même d'un pouvoir réel et effectif exercé sur les hommes. A partir d'un lieu supposé inférieur et dépendant, les femmes vont essayer de contrôler autant la sphère privée que la sphère publique.

c - Le pouvoir des femmes

Sous l'apparence même de la continuité, cette société rurale tend de plus en plus à modifier ses rapports réels. Tout en conservant, au niveau idéologique, l'image qui correspond le plus aux valeurs affichées, on se soumet, en fait, aux réalités nouvelles du changement social. A ce que disent les hommes et les femmes les uns sur les autres, et parfois même sur eux-mêmes, les pratiques quotidiennes opposent le verdict des faits et du pouvoir effectif, et ce, au niveau des liens sociaux les plus fondamentaux et les plus vitaux pour la reproduction biologique et matérielle du groupement villageois.

Du fait que l'unité domestique incarne dans cette société rurale la base fondamentale de toute subsistance, et le cadre structurant autant les activités de reproduction que de production, elle constitue bien l'acteur le plus important dans la vie du groupe. S'étendant bien au-delà de "l'espace privé", la sphère de son action influe largement aussi bien sur le déroulement que sur l'issue des activités ayant cours dans "l'espace public". Or, c'est la femme qui en assure la responsabilité réelle et pratique[8] . C'est elle qui fait l'essentiel des travaux domestiques, et gère le budget familial. C'est la femme qui, pour répondre aux besoins de son ménage, participe aux travaux du champ et effectue des tâches agricoles aussi bien à l'extérieur qu'à l'intérieur de sa maison.

Sa contribution majeure dans la production et la gérance des ressources familiales, quoique s'exerçant dans une société à dominance patriarcale, lui permet pourtant d'accéder à un pouvoir de fait vis-à-vis de son mari [9].

Et sachant que sur la scène publique les hommes sont largement dépourvus de pouvoir,et que celui-ci, du fait de l'exacerbation des rivalités internes, est essentiellement exercé de l'extérieur, et dans le cadre d'une dépendance accrue à l'égard de la société globale, c'est le pouvoir dérivant des responsabilités domestiques qui devient alors le plus significatif dans cette société. Et si les hommes conservent quand même l'image du pouvoir et le prestige lié davantage aux responsabilités extra-domestiques, s'ils ont plus d'autorité que de pouvoir, les femmes, elles, ont du pouvoir mais pas d'autorité. Ce sont-elles qui déterminent le pouvoir réel dont les effets peuvent s'exercer non seulement dans le cadre étroit de la maison, mais aussi sur l'avenir même de l'exploitation agricole. Si les hommes détiennent l'autorité, c'est-à-dire   l'exercice légitime et reconnu du pouvoir, s'ils ont réussi à traduire leurs buts et leurs aspirations par des lois acceptées par l'ensemble de la population, si leur autorité est d'abord l'émanation de l'environnement social (Cururtis,F., 1986:171-173), les femmes ont le pouvoir réel, quoique illégitime et non reconnu, d'influencer les décisions des hommes ; si les jeunes hommes acquièrent du pouvoir à travers le père tout aussi bien que par la compétition avec lui, les femmes elles, accroissent leur pouvoir à travers leurs fils et moyennant la compétition avec leur mari, révélant bien ainsi, par l'exercice indirect et camouflé de leur influence, leur dépendance à l'égard de leurs fils (Roger, J., 1976:475). Le rapport des femmes à leurs enfants est pour beaucoup dans l'affermissement de leur position vis-à-vis de leur époux. A l'encontre du père **anjri** qui garde un contact assez distant avec ses enfants et n'intervient, assez souvent, dans leur éducation que dans un sens disciplinaire et autoritaire, la mère maintient avec eux des contacts étroits et continus, et ce, depuis la prime enfance[13].

En outre, les rencontres des femmes les unes avec les autres au lavoir, lors de la corvée d'eau ou de bois, au souk, au **saba`a** où à la différence des villes seules les femmes assistent - sont pour elles autant d'occasions pour échanger des informations à propos des hommes et de la vie communautaire en général, ainsi que pour pratiquer le commérage, avec ce qui en résulte comme contrôle social sur la réputation des hommes, établissement des normes de la bonne et de la mauvaise conduite, et maîtrise de l'opinion publique au sein du village. C'est lors de ces rencontres que sont abordés les événements biologiques et sociaux majeurs, les rapports à connotation familiale et intime plutôt que politique. C'est même un moment privilégié pour évoquer des sujets tabous à propos du corps et de la sexualité. En sorte que pour savoir ce qui se passe dans le cadre même de l'espace masculin, les hommes se trouvent à plusieurs reprises dans l'obligation de consulter leurs femmes ! C'est sur leurs contacts et échanges de visites que repose l'essentiel des liens entre familles et groupes domestiques. Ce sont bien les femmes qui informent leurs maris des événements qui se sont produits dans les autres unités domestiques, et même dans les autres familles étendues autour desquelles gravite une part essentielle de la vie sociale villageoise. Elles arrivent donc, malgré leur caractère domestique apparemment dominant, à influer largement sur les aspects sociaux, économiques et politiques du village. A l'encontre donc de toute vision tendant à établir une nette distinction entre les sphères, publique et privée, la vie sociale met plutôt en relief leur interpénétration de fait. Aussi le respect qu'accorde une femme à son mari dans la maison influe-t-il grandement sur son statut à l'extérieur. Il est tout aussi vrai, d'autre part, qu'un mari insulté par sa femme à l'intérieur perd sa face sur la scène publique. De même, la réputation dont jouit une femme au niveau du village, constitue un appui certain à son pouvoir de négociation vis-à-vis de son mari. Et du fait que les femmes ont plus de facilités d'accès à l'univers masculin que les hommes n'en ont à l'égard de l'univers féminin, la ségrégation sociale ne prend pas tellement l'aspect d'une limitation imposée aux femmes qu'une exclusion des hommes de la sphère des contacts multiformes que les femmes ont établis entre elles (Nelson, C.,1974:559).

Et ce qui rend la position des hommes encore plus vulnérable dans cette société rurale est que l'unité domestique, lors même qu'elle cicatrise les blessures qu'ils reçoivent sur la scène de la compétition économique et calme en eux l'effet encombrant du pouvoir exclusif de l'Etat, elle ne leur épargne pas pour autant, du fait de ses moyens réduits, le retour sur la même sphère publique où leur psyché fut plus ou moins endommagé. Les soins qu'elle leur prodigue et la stabilité relative qu'elle injecte dans leur âme, ne l'empêchent pas pourtant de les repousser à affronter, en tant qu'individus isolés, l'effet néfaste des décalages sociaux et des inégalités économiques grandissantes. A l'appui psychique qu'elle leur assure, s'ensuit le retour obligé sur la scène même où leur psyché se déstabilise, et leur respect pour eux-mêmes diminue.

Le pouvoir des femmes dérive aussi de leur capacité à saboter le progrès économique ou financier du mari : "Tu apportes un kilo de viande, au lieu de le répartir sur quatre ou cinq jours, elle le met à cuire tout entier en une seule journée ; tu apportes des tomates ou des patates, elle en donne une part à sa famille et à ses voisines. Ce qu'elle cherche par de telles actions c'est de couper la queue du coq pour qu'il ne puisse pas s'envoler, c'est d'empêcher que l'amélioration de sa situation financière ne l'incite à apporter une seconde épouse. Car, comme vous savez, la peur imminente de la femme c'est le remariage de son mari : "Le fils des autres, c'est le fils des autres, comme un mur sans fondement". Les hommes dont les ressources matérielles sont limitées et fragiles sont particulièrement vulnérables dans leur rapport à l'épouse qui pourrait, par un gaspillage prémédité, et une négligence autant des tâches agricoles domestiques que de la mobilisation de la force de travail des enfants, précipiter le mari dans un cercle vicieux : "si tu déclines le point de vue de ta femme, tu te trouveras la tête sur la pente".

Ceci sans parler du "pouvoir négatif" des femmes qui, en vue d'influencer l'attitude du mari, se mettent à créer des troubles dans la vie domestique, et des querelles triviales, mais qui s'avèrent être parfois grandement efficaces quant à la réalisation de leurs objectifs.

Le pouvoir des femmes dérive aussi, dans une large mesure, du pouvoir de la nourriture : "Comment veux-tu que ma femme n'ait pas de pouvoir sur moi alors que ce sont ses mains qui préparent ma nourriture et celle de mes enfants" ? Soubassement fondamental de l'identité féminine, il constitue pour elle un moyen idéal autant pour connecter avec les autres que pour les influencer. Etant essentiellement un don, au sens donné à ce terme par Marcel Mauss, la nourriture servie par la femme oblige ceux qui en bénéficient. Par la manipulation symbolique des combinaisons, de la couleur, du goût et de la forme, elle exerce sur les autres membres du ménage un impact certain, en même temps qu'elle leur fait prendre conscience de leur dépendance à son égard. A l'encontre d'hommes politiques autoritaires, allant parfois dans la coercition jusqu'au contrôle de la nourriture des peuples, la femme acquiert son pouvoir à travers l'acte même de donner de la nourriture et de se sacrifier pour les autres.

Tout en s'acquittant de divers travaux, aussi bien à l'intérieur qu'à l'extérieur de la maisonnée, les femmes n'oublient pas cependant de rappeler constamment à leur mari la longueur qu'ils exigent autant que les souffrances qui en dérivent : "Je lui rafraîchis quotidiennement la mémoire pour qu'il sache à quel prix les repas sont préparés au jour le jour, et au dépens de qui il paraît si propre et si honorable à l'extérieur". "Les hommes ont parfois tendance à oublier la valeur de leur femme, aussi faut-il le leur rappeler de temps à autre". Etant largement sanctionnés par la culture locale, ces rappels féminins suscitent et maintiennent chez les maris, une conscience plus ou moins continue de leur dépendance à leur égard, au même moment où elles leur imposent la mesure des actions réciproques qu'il doivent entreprendre en retour. La capacité de la femme, dont le statut social est en principe le plus vulnérable, de maintenir dans l'esprit du mari un certain sens de l'obligation, semble bien avoir l'allure d'un véritable exercice de pouvoir.

Le pouvoir relatif des femmes dans cette société provient autant de leur participation active aux tâches agricoles, que de la continuité de leur travail dans le cadre domestique, alors que les hommes doivent endurer, entre la saison des labours et celle des moissons, des périodes plus ou moins longues de chômage, entrecoupées parfois, à tel moment ou autre, par des activités temporaires en ville, ou dans les chantiers de la Promotion Nationale. Le chômage masculin, combiné à leur faible participation domestique, finit par affaiblir leur position vis-à-vis de leur femme.

Mais concernant les femmes dont le mari est plus ou moins dépourvu de ressources agricoles, et qui se trouve, de ce fait, obligé de chercher du travail en ville, leur position vis-à-vis de lui s'affaiblit, au même moment où l'homme devient de plus en plus dominant. La "complémentarité" des travaux agricoles entre sexes ayant disparu, la femme n'a alors parallèlement à son travail domestique, que très peu d'autres alternatives lui permettant de soutenir la valeur de sa contribution à la survivance domestique. Tandis que les ressources du migrant seront davantage considérées en tant que revenu principal, pour ne pas dire unique, garantissant la subsistance familiale.

Le dilemme auquel se trouvent confrontées à l'heure actuelle plusieurs femmes est qu'elles doivent choisir entre le statut de femme respectée d'une part, et l'aspiration à un mode de vie plus citadins mais socialement inadmissible d'autre part. Si elle revendique, par exemple, son droit à travailler en ville ou à y poursuivre des études, à s'habiller à l'instar des femmes citadines ou à élargir son espace social et sa mobilité géographique, elle risque alors fort, en tenant à de telles attitudes, de déchoir dans la condition peu enviable de femme dépravée et sans pudeur. Mais si elle se résigne à demeurer sur le chemin qu'on lui a tracé, et à respecter l'apparence de la domination masculine, et l'image de sa dépendance à l'égard de l'homme, elle acquiert, par ce biais, le respect de sa société qu'on s'efforce à tout moment de lui présenter comme étant l'essence même de ses droits. La socialisation de la femme, engagée depuis la prime enfance, et poursuivie dans le sens d'un contrôle ascendant, tend, entre autres, à lui inculquer l'idée qu'une femme mariée est préférable à une célibataire, qu'une femme ayant des enfants est beaucoup plus respectée qu'une femme stérile, que celle ayant un plus grand nombre d'enfants mâles est de loin la plus heureuse et la plus protégée. Cette vision hétéronome de la femme consistant à ne lui reconnaître d'autre existence que celle liée à un époux et à des enfants en même temps qu'elle reproduit l'autorité masculine, donne la possibilité à la femme d'extraire du pouvoir au sein même de sa "faiblesse", et d'utiliser à son avantage son identification à la vie domestique. Les restrictions qu'impose le groupe villageois à sa liberté et la marginalisation qu'il lui fait subir n'empêchent pas pour autant que son honneur dépende d'abord de la moralité de la conduite féminine. C'est dire combien, là encore, sa subordination apparente, influe sur la destinée des hommes et détermine le statut du groupe familial.

BIBLIOGRAPHIE

Belghiti Malika , 1971. "La Ségrégation des Garçons et des Filles à la Campagne", Bulletin Economique et Social du Maroc., *Vol. XXXIII, n° double,120-121, Janv. - Juin.*

Braun, Françoise, 1979. "Matriarcat, Maternité et Pouvoir des Femmes", *Anthropologie et Sociétés,* Vol. 11, n° 1, p.52.

Cururtis, Richard F., 1986. "Household And Family in Theory on Inequality", American Sociologtical Review, Vol. 51, Avril, p. 171-173.

Davis Schaeffer, Susan, 1980. "The Determinants of Social Position among Rural Moroccan Women", in : *Women in Contemporary Muslim Societies,* Edited by Jane I. Smith, London, pp. 95-96.

Dodd, Peter C., 1973. "Family Honor And The Forces Of Change In Arab Society", *International Journal of Middle Eastern Studies*, 4, p. 42.

Gilmore, D., 1987. " Introduction : The Shame of dishonor", in *Honor and Shame and the Unity of the Mediterranean*, American Anthropological Association,   Washington, p. 9 and 13).

Lee, Cary R. and Peterson, Larry R., 1983 "Conjugal Power and Spousal Resources in patriarchal Culture", *Journal of Comparative Family Studies,* volume XIV, n° 1, Spring, p. 23-25.

Mbela, Hiza Mulassan, 1975. "L'éducation rurale et la participation au développement en milieu traditionnel", *Africa,* Rivista Trimestrale Di Studie Documentazione dell'Instituto Italo-Africano, Anno.XXX, no.2, Giugno, p.205.

Nelson, Cynthia, 1974. "Public And Rivate : Women in The Middle Eastern World", *American Ethnologist*, vol. 1, n° 3, August, p. 559.

Ortiz ,E. Lopez, 1951. *Recuerdos de Anyeran*, texte ronéotypé (disponible à la Bibliothèque Nationale de Madrid), 1951.

Pitt-Rivers, J., 1986. "Conceptions de l'Honneur et Classes Sociales en Andalouie", in *Les Sociétés rurales de la Mediterranée*, Edisud, Aix-En provence, pp. 224-225.

Roger Joseph, 1976. " Sexual Dialectics and Strategy in Berber Marriage", *Journal of Comparative Family Studies,* vol. VII, n° 3, Autumn.

Rogers, Susan C., 1975. " Female forms of power and the mythe of male Domainance: a model of Female/ Male interaction in Peasant Society", *American Ethnologist,* vol. 2, no 1.

Rogers, Susan C., 1979. "Espace Masculin, Espace Féminin. Essai sur la Différence", *Etudes Rurales*, n° 74, Avril-Juin, p. 94-97.

Shirley, Ardener (Edited by). 1981. "Ground Rules And Social Maps For Women: An Introduction", in : *Women And Space*, Croom Helm London in association with The Oxford University Women's Studies Committee, p. 21, 25 and 28-29.

Vanessa, Mayer, 1974. *Women And Property In Morocco,* Cambridge University Press, 1974, p. 83.

Webster, K.Sheila, 1982. "Women, Sex, and Marriage in Moroccan Proverbes", *International Journal of Middle Eastern Studies,* 14, pp. 173 - 184.

Zurayk, Huda, 1988. "Rôle de la femme dans le développement socio-Economique des pays Arabes", *Al-Mustaqbal Al-Arabi,* n° 109, p. 107.

NOTES

1- Région se situant autour de la région de Tanger et de Tétouan. Les tribus d'Anjra font partie des Jbala.

2- En réalité nous ne faisons là que confirmer les conclusions de Sheila K. Webster dans son analyse de la condition féminine à travers les proverbes recueillis par E. Westermarck. Voir Sheila K. Webster 1982.

3- David D. Gilmore analyse cette peur du féminin chez les hommes comme étant un trait de la culture méditerranéenne dans son ensemble. Vivant une assez longue période de son enfance avec les femmes, l'homme n'arrive pas ultérieurement à se débarasser du féminin qu'il a intériorisé. La masculinité incertaine qui en dérive demeure ainsi empeinte de la peur de voir rejaillir le féminin ; et la virilité (**rujûla**) que l'homme affiche n'est en fin de compte qu'une "formation réactionnelle" de défense, ou une "protestation masculine" contre le désir inconscient de fusionner avec la mère et d'être comme les femmes (D.Gilmore,1987:9-13).

4- En analysant la division sexuelle de l'espace chez les les anjris nous nous sommes, dans une certaine mesure, inspirés de l'important article du Rogers, Susan C., 1979.

5- L'idée d'utiliser le taux de natalité en tant que critère pour déterminer le degré de changement du code de l'honneur nous a été suggérée par Dodd, Peter C. 1973.

6- "Nous n'envoyons pas nos filles à l'école", disent avec fierté certains de nos interlocuteurs anjris. Cette même formule a été utilisée par les ruraux des Ksours en réponse à une question à propos de la scolarisation des filles. Voir (Vanessa Maher, 1974.).

7- A propos de la préférence pour le mariage précoce des jeunes filles dans le Haouz de Marrakech, Malika Belghiti en avait donné une explication tout-à-fait applicable aux anjris : "On a le sentiment de dépenser, d'investir pour une force de travail qui va ensuite quitter la famille pour une autre famille. Et pour une fille trop âgée ... les sous-entendus sur sa virginité, voire sur sa vertu, sont désobligeant pour elle-même et pour sa famille", (Belghiti, Malika, 1971).

8- Si Lopez Ortiz avait bien senti l'ampleur du pouvoir féminin à Anjra, ainsi que l'extension du domestique au-delà des limites qui lui sont théoriquement assignées, il n'en navait pourtant mis en relief que les aspects qui correspondaient le plus à la perception coloniale de la vie tribale : "La femme est maîtresse absolue de son ménage. Tandis que l'homme, chacal au dehors, devient obéissant et soumis au-dedans de sa maison ..., les préjugés les plus forts, les profondes haines de races et le fanatisme sauvage trouvent dans la maison, et la femme en particulier, leurs racines les plus intangibles". (Ortiz, E.Lopez, 1951).

9- Pour une connaissance plus globale et plus détaillée du rapport entre pouvoir féminin et utilisation des ressources familiales, voir : Lee, Cary R. and Peterson, Larry R., 1983.

10- Certains auteurs évoquent à propos des paysans africains en général, leur frustration politique et la faiblesse de leur rôle à l'échelle nationale résultant d'après eux du fait qu'ils sont mal soignés, mal instruits, largement dépourvus d'équipements collectifs et marginalisés au niveau de l'activité politique en milieu rural traditional. Voir Mbela , Hiza Musalam, 1975:205.

11- Cette constatation est valable non seulement pour les communautés villageoises d'Anjra, mais aussi pour de nombreuses sociétés paysannes, à ce propos voir: Rogers, Susan, C., 1975.

12- Cette situation contraste largement avec celle des femmes citadines dont le pouvoir est parcellaire et secondaire en comparaison avec le pouvoir des hommes citadins qui leur permet d'agir sur l'ensemble de la société, et leur donne les prérogatives de "formuler un projet de société". Voir : Braun, Françoise Braun, 1979:52.

13- Ce phénomène caractérise en fait la plupart des sociétés arabes - Voir Zurayk, H. 1988:107.

FEMME ET CHANGEMENT SOCIAL
Quelques remarques sur le cas du Rif Central

Fatima HAJJARABI

L'organisation de la famille dans le Rif Central, à l'exemple de beaucoup d'autres sociétés méditerranéennes repose sur un postulat fondamental, celui de la supériorité de l'homme sur la femme. Il a pour corollaire le consentement et la soumission de celle-ci. On connaît encore mal les fondements historiques de cette domination. On en connaît par contre les fondements idéologiques. Dans l'Islam, dans le Christianisme ou dans la mythologie grecque les femmes sont associées au mal, à la souillure et au péché (Vernant, 1981). Les femmes sont inférieures et leur infériorité est naturelle. Que les hommes pensent ainsi quoi de plus normal ! Comment expliquer que les femmes acceptent et obéissent ? Quels mécanismes sous tendent ce rapport de dominant-dominé ? (Bourqia,1990). Dans ce texte nous établirons un constat d'un point de vue anthropologique sur les rapports interindividuels, et la violence qui marque le vécu quotidien. Nous essayerons de dégager des éléments de continuité dans les rapports hommes-femmes et d'y déceler quelques éléments de changement. La première partie traitera de la supériorité masculine dans son contexte économique et social. La deuxième partie sera consacrée aux indices de changement.

1 - De la supériorité masculine

Rappelons quelques spécificités de cette région nécessaires à la compréhension de ce qui va suivre étant entendu que l'environnement social aussi bien que l'infrastructure économique déterminent largement les mentalités et l'idéologie. Il est impossible de comprendre une société si on ne tient pas compte de quoi est faite sa vie matérielle.

a - Une société d'indigence et de pauvreté

La région d'Al-Hoceima dans le Rif Central est une des régions les plus défavorisée du Maroc. Elle fait partie de la périphérie et de ce fait est marginalisée. L'accroissement démographique y est record (32,3%/an) alors que la majorité de la population est impuissante à subvenir à ses besoins les plus élémentaires. En témoignent les données statistiques où l'accroissement des petits centres est spectaculaire (Direction de la Statistique, 1988:232).

Accroissement de la population
Province d'Al Hoceima

Province d'Al Hoceima	Accroissement global de la population		Accroissement % migration	
	1960 - 1971	1971 - 1982	1960 - 1971	1971 - 1982
Centre d'Al Hoceima (45.000 hab.)	44.7 %	68.5 %	21.7 %	36.2 %
Imzuren (9.649 hab.)	36.7 %	121.2 %	13.7 %	88.9 %

Pauvreté et indigence sont les dénominateurs communs de cette paysannerie. Non pas que les paysans consacrent peu de leur temps et de leur énergie à travailler la terre mais plutôt par l'indigence de leurs moyens techniques et matériels. L'ingéniosité du rifain à travailler la terre a fait sa réputation à travers tout le pays. Pourtant la production céréalière subit les aléas du climat semi-aride et les rendements sont faibles : 2 qx/ha. L'arboriculture "moderne" dans la vallée du Nerckor donne des rendements intéressants, mais dans des fermes de l'Etat (SODEA), est dans sa totalité orientée vers l'exportation vers les marchés de l'oriental. L'amandier demeure une source importante de revenus mais, cultivé en sec il subit également les aléas du climat.

La forte densité de population (110 hab/km2) a accéléré les processus de défrichement et de déboisement. L'érosion dramatique des sols appauvrit considérablement les capacités agricoles, source principale de revenus. Ni la pêche dans quelques ports locaux, ni le tourisme dans la baie d'Al-Hoceima ne sont générateurs de revenus consistants.

L'émigration à l'étranger et vers l'Europe principalement a suscité dans les années 70 de grands espoirs. Tous les villages ont été touchés par le flux migratoire. Mais constitué sous forme de réseaux il n'a réellement concerné que quelques familles, (deux ou trois migrants par famille), alors que la majorité des foyers n'en a pas bénéficié. La dépendance des familles vis-à-vis des transferts de l'étranger est grande même s'ils ne sont ni réguliers ni consistant, (Pascon et Van Der Wusten, 1983:256).

Résumons quelques paramètres fondateurs de cet écosystème :

1. Le chômage est un fléau contre lequel la paysannerie rifaine est impuissante : 3,5 % de la population rurale sont actifs dans un secteur primaire alors que près de 94 % de la population globale sont des ruraux. Les conséquences de la pénurie du travail sur les ménages, la désorganisation des normes et des repères ne sont pas encore évaluées à leur juste mesure.

2. Dans les foyers prédomine l'autoconsommation des biens produits dans le cadre d'unités domestiques où le travail féminin est primordial.

3. Le niveau de vie de la majorité atteint facilement le minimum vital. Aux périodes de pénurie les seuils absolus de survie sont vite atteints.

4. Si l'école et la médecine constituent des formes de rationalité sociale et deux paramètres pour évaluer le degré de développement d'une société, ici prédomine l'indigence de l'infrastructure médicale et scolaire. Quelques chiffres en témoignent. La province ne compte que 5 médecins pour 100.000 habitants, 65 dont le personnel paramédical. Les taux de scolarisation sont parmi les plus faibles enregistrés. Dans la campagne : 36 % des garçons accèdent à l'école contre 8,1% seulement des filles, (Direction de la Statistique, 1988:98 et 126).

Qu'en est-il du souk féminin ? Il est à l'image de la société rifaine, décadent (Hajjarabi,1987). Ce marché hebdomadaire réservé aux femmes, autrefois actif, est devenu résiduel. Les souks masculins d'Imzuren, d'Al Hoceima plus puissants l'ont concurrencé. De même que situé en dehors des circuits majeurs il est de fait marginalisé. Toutefois, quelques uns de ces souks se réactivent parce qu'insérés dans une dynamique de changement dont nous parlerons plus loin.

b - De la domination masculine

Quelque soit la situation économique dans laquelle se trouve les familles, un dénominateur leur est commun : les hommes contrôlent les femmes à plusieurs niveaux et de manière autoritaire.

Ils les contrôlent physiquement. Les femmes-épouses, filles ou soeurs sont recluses. Elles ne sortent des foyers qu'accompagnées de leurs maris, de leurs pères ou de leurs grands frères. Si elles enfreignent l'interdit, quittent le foyer conjugal pour rendre visite à une mère malade ou une soeur accouchée, elles sont battues et humiliées. Les rifains sont jaloux de leur vie privée comme ils sont méfiants à l'égard de leurs femmes et de leurs filles. Il y va de leur honneur **"nif"** comme de leur réputation au sein du groupe. Aussi, les maisons sont scrupuleusement gardées par les époux ou par les pairs (grand-père ; grand oncle ...). La structure de l'habitat dans les villages semble répondre à un impératif, celui d'éviter le regard étranger et la communication entre voisines[1].

Malgré la densité élevée les maisons forment des blocs isolés les uns des autres. La maison rifaine, de structure rectangulaire ou carrée est entourée de murs élevées de manière à éviter les regards épieurs. Les va-et-vient insignes habituels de la sociabilité féminine, sont ici proscrits. Dans son cadre une cour inférieure à ciel ouvert est réservé aux femmes. C'est là qu'elles construiront le four à pain, le poulailler ou la cage à lapins ; là elles feront lessive et vaisselle et se réuniront en fin d'après midi avec leurs enfants. Cependant, dès que les hommes s'absentent (au souk ou aux champs) les femmes escaladent les murs, troquent de l'huile contre de la farine, des amandes contre du sucre, c'est de bonne guerre.

Les rifains sont perpétuellement pris dans cette nécessité d'être vertueux pour des raisons sociales plus que religieuses. Ils exercent une surveillance tatillonne sur les faits et gestes de leurs épouses et de leurs filles. C'est que la sexualité féminine est redoutée. Les hommes y attachent beaucoup d'importance parce qu'elle est directement liée aux valeurs de virilité et de supériorité masculine. Les épouses sont des procréatrices et doivent l'être sinon elles sont répudiées. Elles sont d'autant appréciées qu'elles procréent des enfants mâles. Elles assurent ainsi la continuité et la sauvegarde des lignées.

Ce rapport est vécu sous le mode de la tension. Les hommes redoutent le recours à la magie. Le commérage porte atteinte à la famille et déshonore les maris, alors que la magie qui a pour cible directe les hommes, est perçue comme un acte maléfique.

Sans le commérage la vie dans les **dchûr** perdrait de son piquant et les jours s'égrèneraient dans l'ennui et la lenteur. Les femmes plus que les hommes surveillent les moindres détails de la vie des villages. Le commérage a une fonction d'intégration mais aussi d'exclusion. Les principales cibles sont les femmes mariées, les jeunes filles et la vie intime des couples. Les nouvelles galvaudées dans les villages trouvent rapidement écho dans les souks féminins et vice versa. D'ailleurs, dans le cadre des souks féminins autrefois plus que maintenant, les jeunes filles s'offrent au regard des anciennes **"dhiwsûra"** et s'engagent dans des joutes oratoires qui ne manquent pas de sel. .

Le contrôle touche également les enfants, les garçons moins que les filles. La naissance d'une fillette est reçue avec beaucoup de déception, celle d'un garçon est annoncée avec bruit au reste de la communauté. Les filles ne procurent aucun prestige et qu'au niveau de la croyance profonde elles sont associées au malheur et au déshonneur qui est dans leur nature. Dans les foyers a-t-on laissé se mourir des fillettes sans les nourrir ? On ne le saura jamais.

Les parents sont réticents à les laisser jouer ou simplement vivre leur enfance. Ils les harcèlent de corvées à longueur de journée pour garder le petit bétail, pour rapporter de l'eau à la maison, pour le transport de charges diverses ou pour garder les petits frères. Ils sont également réticents à les mettre à l'école, réticence que justifie l'éloignement réel de l'école, l'encadrement déficient ou des infrastructures souvent vétustes. Dans les villages où une école existe, la fréquentation de cette même école par une ou deux fillettes n'excédera pas deux ou trois années. Dès qu'elles atteignent neuf ou dix ans, elles sont retirées de l'école. Elles en gardent amertume et frustration. Ainsi la ségrégation des sexes relègue les femmes aux espaces privés et à la vie domestique.

Le rifain contrôle de manière tatillonne le budget familial aussi maigre soit-il. Il gère les biens, ceux de sa femme ou de sa soeur sont les siens. Il est certes dans cette économie domestique le principal pourvoyeur de revenus, alors que les femmes sont la principale force de travail. A l'exception des "citadines" la majorité des femmes participent dans les unités familiales aux travaux des champs. Elles binent et irriguent les jardins, gaulent les amandes et ramassent les fruits. Outre ces travaux, elles ont la lourde charge des travaux domestiques où les petites filles les secondent. Elles ravitaillent les maisonnées en eau, en bois, s'occupent du petit bétail source d'appoint aux maigres revenus familiaux, cuisinent, lavent le linge et s'occupent des enfants. Leur apport est considérable, mais elles n'en profitent pas. Le mari gère les maigres revenus familiaux et ne s'offre aucune dépense en sus. Il faut parer au plus urgent certes : l'achat de quelques aliments de base (de la farine, du sucre, du thé, des bougies ou une bouteille de gaz pour s'éclairer ...) ; le jour du souk on achètera quelques légumes, rarement de la viande.

Les revenus sont certes maigres mais ils sont renfloués par un transfert d'argent d'un parent de l'étranger, par la vente d'une volaille, des oeufs. Les femmes trouvent injuste de ne point en profiter et rechignent devant l'avarice séculaire de leurs époux. Il n'est d'ailleurs pas rare qu'un écart de comportement d'une épouse ou l'achat imprévu d'une pacotille soit à l'origine de drames familiaux ou de divorce.

Face à cette intransigeance les femmes rusent, trompent la vigilance des maris et mettent de côté des denrées (quelques morceaux de sucre, une poignée de farine etc.) qu'elles revendront au souk féminin ou qu'elles échangeront contre d'autres denrées avec leurs voisines.

c - Les belles-mères: relais de la soumission des femmes

Les vieilles sont à l'inverse des jeunes des gardiennes de la tradition et un maillon important dans la reproduction sociale. Elles assurent la transmission aux hommes comme aux femmes du modèles, du savoir-faire empirique et des pratiques ritualisées ou de la magie.

Valorisées dans leur jeunesse parce que mère d'enfants mâles, les femmes tissent tout au long de l'apprentissage de la vie des rapports privilégiés avec leurs fils. La complicité qui les lie pallie à la rigueur qui domine les rapports père-fils, et atténue les tensions.

A l'âge de la ménopause elles accèdent à un statut privilégié qu'elles affichent au grand jour. Femmes respectables, elles accèdent aux espaces masculins, et publics (souk, place etc.) discutent avec les hommes, les conseillent. Femmes "pures", elles s'habillent de blanc, fréquentent la mosquée, égrènent leur discours de formules coraniques. En somme elles adoptent des attitudes viriles. Elles secondent l'autorité des mâles à plusieurs niveaux en particulier dans la gestion des biens et l'organisation du travail.

Il n'est pas rare qu'en un seul foyer cohabitent à la fois plusieurs générations, deux ou trois couples. Cette unité de production nécessite l'organisation de la consommation des biens comme celle des différentes tâches que la gente féminine a à effectuer. C'est d'ailleurs une source de discorde perpétuelle entre les brus et les belles-mères. De même qu'elles veillent à la moralité des belles-filles et les surveillent. Celles-ci leur doivent obéissance et respect. Les vieilles les accompagnent dans leurs sorties (au cimetière par exemple), font des achats à leur place, vont à l'hôpital faire soigner un enfant malade etc. Elles n'hésitent pas à se faire respecter de manière autoritaire et vont jusqu'à se crêper le chignon ou battre leurs belles-filles. Avec l'émigration à l'étranger le pouvoir des mères s'est renforcé. Ne reçoivent-elles pas les mandats de l'étranger à leur nom qu'elles transmettront intégralement ou partiellement à leurs belles-filles. Ce rôle de substitut aux maris absents ne s'exerce pas sans tension ni conflits.

Le mariage est une affaire sérieuse aussi on ne saurait le laisser au libre arbitre des enfants. Tous les mariages sont arrangés par les familles. Les vieilles servent d'intermédiaires dans les premières investigations autant que dans les phases finales. J'évoquerai ici uniquement la première phase d'investigation et de négociation entre les vieilles et les jeunes filles qui a lieu dans la scène du souk féminin.

La parade commence déjà sur les chemins d'accès aux souks où les jeunes prétendants attendent discrètement. Il est permis de se parler, de discuter sans que la vigilance des vieilles soit déjouée. C'est là un jeu de transgression circonscrite, admis et toléré. Le "nobio" aborde la fille élue, lui parle de ses projets mais dans les limites de la bienséance et de la réserve. Ils ne pourront ni s'isoler, ni se témoigner de la tendresse en public. La jeune fille reste entourée de ses paires le temps que durera la rencontre.

Au souk, l'arrivée tardive des jeunes filles ne passe pas inaperçue. Les vieilles, **"timgharin"**, mères ou proches parentes des prétendants sont déjà installées à la périphérie, parfois leurs premiers achats sont faits. L'entrée des souks est leur point de mire, à partir de là elles déploient une stratégie d'approche. Les filles affluent par grappes de deux ou trois ou plus. Elles sont parées comme aux jours de fête de robes neuves aux couleurs vives et sont maquillées.

Leur arrivée au souk signe un moment de détente. Elles se gardent bien de toucher à ce qui leur rappelle les besognes quotidiennes. Elles arrivent les mains vides et en repartent de même. Elles ne participent ni au transport des ballots, ni aux transactions des produits ordinaires. Tout au plus l'une d'entre elles achètera un coupon de tissu pour confectionner une robe. Ce qui importe c'est la simulation et le jeu qui se dessine dès leur entrée au souk. Elles simuleront un achat, discuteront les prix pour attirer l'attention des vieilles ou au contraire la dévier quand la discussion tourne court. Elles déambulent par les allées au milieu des vendeuses, sous l'oeil scrutateur des vieilles.

Une mère s'adressera au groupe des jeunes filles dans sa totalité, lancera quelques plaisanteries avant d'aborder directement celle qui l'intéresse. Une fois dépassé ce moment de flottement, chacune décline son identité et s'ingénie à identifier les repères généalogiques, parentaux ou géographiques de l'autre. La reconnaissance réalisée, la vieille sonde des intentions de la jeune fille et lui dévoile les siennes.

La démarche exploratoire de la mère vise à circonscrire le personnage de la jeune fille dans une série de critères de choix. Les questions défilent avec insistance et des détails sur la vie familiale sont exigés. Cette quête déborde le souk pour intervenir en des lieux familiers, au **dchar** où des personnes proches sont mises à contribution. Parfois il se passe deux ou trois souks avant que la décision ne soit prise. La prudence conseille l'expectative.

En revanche, les jeunes filles sans se défaire d'une pudeur, bien plus simulée que réelle se posent en interlocutrices[3]. Les questions sont directes et concernent en premier le futur prétendant. Pour d'amples détails des parentes alliées ou des voisines sont mobilisés. De part et d'autre de véritables enquêtes de moralité sont engagées. Ces scènes au souk sont cocasses et ne manquent pas d'humour.

Dans cette phase préliminaire, les femmes ont un rôle primordial. Elles se chargent des premiers contacts avec les concernées, selon des critères qu'elles orientent et déterminent. Cette phase qui - selon toute attente aboutit à la "**khotba**", la demande en mariage - est capitale. Les femmes en sont les initiatrices.

2 - Changement ou continuité?

a - Une forte impression de stagnation

Par rapport aux paramètres sus définis il n'y a pas de changements majeurs. La domination masculine est la seule référence, les hommes commandent et exercent leur autorité malgré le chômage, la remise en cause des modèles anciens. La femme est toujours associée à la souillure et à la pollution. De nombreux interdits religieux et magiques la frappent surtout lors des menstrues. Sa soumission sur terre n'a de compensation que l'enfantement, celui d'enfants mâles.

L'enfermement des femmes continue. Il s'est renforcé avec le départ des hommes à l'étranger. Dans les centres urbains (Al-Hoceima, Imzuren), les femmes avec leurs enfants se retrouvent dans un isolement quasi total.

Rien de tel dans les **dchûr** même si les travaux dans les champs n'étaient pas plus faciles. Au moins elles pouvaient "sortir aux champs" ou bénéficier de la visite de proche parente ou d'amies.

L'amélioration des conditions matérielles d'une frange de la population citadine est certaine. Les revenus réguliers de l'émigration, ou les salaires fixes des fonctionnaires et de l'armée ont "propulsé" des foyers dans la modernité. Un des facteurs d'intégration à la modernité est la télévision. Près de 60 % des foyers à Al Hoceima possèdent un poste de télévision branché sur l'Espagne. L'impact de la télévision dans la transmission de modèles nouveaux sur les jeunes est révélateur. Elle est la seule distraction qu'ils puissent s'offrir. Du coup ils adoptent les attitudes corporelles et les modes vestimentaires qu'elle véhicule.

Quant au confort et au cadre de vie, les changements ne touchent que les centres urbains. Si les femmes profitent de l'amélioration du cadre de vie (l'eau courante n'existe pas dans toutes les maisons, l'électricité est encore un réel luxe dans le Rif), les transformations se font à leurs dépends ou elles en font les frais. Les hommes deviennent plus exigeants en ce qui concerne leur confort personnel, plus tatillons sur les modes culinaires, etc. Les tensions dans les couples, qui découlent de cette nouvelle situation, n'aboutissent jamais à la contestation ouverte par les femmes de l'ordre établi. C'est que si les conditions matérielles changent, les mentalités restent ancrées.

Le souk féminin, institution séculaire en est un exemple. Les changements qui l'ont concerné n'y ont intervenu que parce qu'ils ont touché globalement la société rifaine. La paupérisation plus grande, les départs en émigration des hommes et les différents événements historiques (guerre du Rif ...) se sont conjugués pour réactiver cette institution complètement léthargique.

Ce sont huit souks hebdomadaires dans les environs d'Al-Hoceima uniquement réservés aux femmes - sans hommes, aux divorcées et aux veuves. Ils sont interdits aux femmes mariées. Les produits vendus sont des produits manufacturés (des tissus et des produits d'épicerie), des produits agricoles fruits du travail personnel) ou des productions artisanales, des poteries et de la vannerie.

Les rapports tissés dans le cadre de ces souks ne sont pas différents de ceux du groupe. Ces femmes sont dans l'obligation de subvenir aux besoins de familles nombreuses, aussi contournent-elles la difficulté de se mouvoir dans des espaces anonymes, dans des espaces publics en faisant constamment référence aux valeurs de l'honneur et du capital symbolique. Ces valeurs leur permettent également de se valoriser vis-à-vis du reste de la communauté.

b - Les femmes sans hommes : Quel changement ?

Combien sont-elles ? Aucune statistique n'existe pour nous permettre d'évaluer correctement leur nombre. Les femmes divorcées semblent plus nombreuses que les veuves dans les marchés féminins. Du point de vue de leur statut, les femmes divorcées plus que les veuves sont marginalisées. Car, dans la croyance profonde, du moment qu'elles sont soustraites à l'autorité des hommes, elles sont "capables" de désordre. Si elles ne sont pas regardées avec méfiance et rejetées, elles sont sujettes à une ambiguïté qu'elles compensent par une surcharge de signes de "bonne moralité".

Avec l'âge (35 ans et plus) les femmes sans hommes sont mieux acceptées, bénéficient de plus de considération. Ne deviennent-elles pas des intermédiaires sociaux "women in between" dans la hiérarchie sociale et de précieux relais à l'autorité masculine ? Non pas qu'elles sont soustraites à cette autorité mais elles ont la latitude d'oeuvrer dans le cadre d'une autonomie toute relative. Là, la réussite matérielle peut rendre ses limites extensibles.

La répudiation et le veuvage sont vécus de manière cruciale par les femmes. Du jour au lendemain elles sont démunies, sans garantie matérielle aucune. Elles sont propulsées dans un monde de responsabilité - pour lesquelles elles n'ont jamais été préparées - alors qu'elles doivent changer leurs habitudes et redéfinir leur enracinement dans le quartier et le voisinage.

Elles inaugurent leur nouvelle vie - afin de parer à l'urgence - à faire n'importe quoi même si elles ont du mal à l'accepter : femme de ménage, ouvrière à l'usine de sardines à Al-Hoceima, vendeuse de pain ou marchande ambulante…, toutes sortes de petits boulots qui ne nécessitent ni qualification ni savoir faire. C'est au prix de nombreuses privations et d'actions tout azimut qu'un capital se constitue. Le cas des vendeuses de tissus dans les souks féminins que nous avons étudié dans un article précédent est intéressant (Hajjarabi, 1988).

Dans ces marchés, les vendeuses de tissus féminins qui ont pu bénéficier au terme de l'entraide d'un capital consistant sont un groupe influent. Certaines assurées de leur réussite matérielle peuvent s'imposer comme partenaires économiques vis-à-vis de leurs fournisseurs et grossistes en tissus à Al-Hoceima. D'autres se tailleront des espaces entiers, dans les villages où les échanges sont entièrement sous leur contrôle. Ce sont de véritables petites entreprises ambulantes bien rodées aux pratiques de l'échange. Entre elles, solidarité et compétition oeuvrent constamment dans un continuum.

La mobilité sociale ici est à l'échelle individuelle. Elle ne touche qu'une frange réduite du groupe de femmes. Elle est néanmoins significative dans le rapport hommes-femmes.

BIBLIOGRAPHIE

Abu-Lughod L., 1985. *Veiled Sentiments. Honor and Peotry in a Bedouin Society*, University of California Press, Berkeley, Los Angeles, London.

Blanco Izaga E., 1939. El Rif: *La Ley Rifena. Los Canones Rifenos*, Ceuta, Imprimerie Imperio.

Bourdieu P, 1980. *Le sens pratique*, Paris, Ed. de Minuit.

Bourqia R, 1990. "La femme et le langage", in *Femmes et Pouvoirs*, Casablanca, Ed. Le Fennec.

Collectif, 1988. *Femmes partagées. Famille-travail*, Collection dirigé par Fatima Mernissi, Ed. Le Fennec.

Coon C.S., 1931. *Tribes of the Rif*, Harvard African Studies, vol.9, Cambridge, Massachussets.

Direction de la Statistique, 1988. *Situation démographique régionale au Maroc.* Analyse comparative, Rabat, CERED, p. 256.

Evers Rosander E, 1991. *Women in Borderland. Managing Muslim Identity Where Morocco Meets Spain*, Stockholm Studies in Social Anthropology.

Hajjarabi F., 1987. *Les souks féminins du Rif Central. Anthropology de l'échange féminin,* Thèse de doctorat, université Paris VII, 342p.

Hajjarabi F., 1988. "les souks féminin du Rif Central: rareté des biens et profusion sociale", in Collectif, *Femmes partagées. Famille-travail*, Collection dirigé par Fatima Mernissi, Ed. Le Fennec.

Hajjarabi F., 1991. " Sauver la forêt ou sauver les femmes: la corvée du bois chez les Ghmara", in Collectif, Jbala. *Histoire et société. Etudes sur le Maroc du Nord-Ouest, Casablanca*, CNRS, Wallada.

Hart D.M. 1976. *The Aith Waryaghar of the Moroccan Rif. An Ethnography and History*, The University of Arizona Press, Tucson.

Kasriel M. 1989. *Libres femmes du Haut Atlas. Dynamique d'une micro-société,* Paris, L'Harmattan.

Naamane-Guessous S. 1990. *Au delà de toute pudeur*, Casablanca, Ed.Edif.

Pascon P. et Van Det Wusten H. 1983. *Les Béni Boufrah. Essai d'écologie sociale d'une vallée rifaine*, Rabat, INAV, Faculté de Géographie Sociale de l'Université d'amsterdam.

Vernant J.P., 1981. *Mythes et société en Grèce ancienne*, Paris, Maspero.

NOTES

1- On peut observer le même phénomène à Al-Hoceima, centre urbain de plus de 45.000 habitants. L'argent de l'émigration est investi dans la construction de maisons "modernes" avec grandes fenêtres donnant sur la rue qui demeurent à jamais fermées.

2- "nobio", terme emprunté à l'espagnol qui signifie "fiancé".
Quand les mères et les belles-mères ne sont pas là, il faut voir avec quelle verdeur elles parlent des hommes.

LA LÉGITIMATION RITUELLE DU POUVOIR AU MAROC

Elaine COMBS-SCHILLING

ctuellement, les sciences sociales aux Etats-Unis connaissent un engouement pour la notion de résistance : résistance des femmes aux structures patriarcales, résistance des populations colonisées à leurs colonisateurs, résistance des peuples à leurs propres systèmes politiques (Abu-Lughod 1986, 1991, J.W. Scott 1985, 1990, Seremetakis 1991, etc.).

S'il ne fait aucun doute que la notion de résistance, en ce qu'elle nous permet d'illustrer les capacités créatives des êtres humains, est une notion extrêmement importante, il ne faudrait pas que cet engouement nous amène à négliger pour autant une autre dimension toute aussi importante des rapports entre un peuple et le pouvoir qui le gouverne, il s'agit de "l'enchantement" du peuple par le pouvoir. Résistance et enchantement constituent deux des multiples facettes que présentent les rapports d'un peuple avec le pouvoir politique sous lequel il vit et il est nécessaire d'accorder autant d'attention à l'une qu'à l'autre car, comme l'illustre Greenblatt, ces deux dimensions sont loin d'être toujours en opposition et, au contraire, il arrive parfois que la résistance soutienne l'enchantement politique (Greenblatt, 1988).

Tout en restant attentive à ces deux dimensions, notre recherche porte plutôt sur l'enchantement. En effet, l'objet de notre recherche est une structure de pouvoir qui a su développer des moyens raffinés pour enchanter la population qui se trouve sous son contrôle. Ce pouvoir a perfectionné les moyens d'attirer la population vers lui, en saisissant notamment dans la hiérarchie sociale dominante les désirs, les espoirs et les actions des individus gouvernés[1].

Dans les pages qui suivent nous proposons d'analyser à la fois le processus par lequel l'individu est engagé dans cette structure de pouvoir et le processus par lequel cette dernière est enracinée dans la chair même de l'individu, dans son imagination sexuelle et dans ses espoirs pour le futur. Ainsi que Gramsci (1976, 1977), Foucault (1980) et bien d'autres l'ont montré, le pouvoir politique, s'il veut subsister, ne peut se fonder seulement sur un appareil étatique central et sur des mécanismes militaires de sujétion et de coercition. Bien plus efficace, et bien moins coûteux pour ce pouvoir est le fait de s'enraciner dans la vie même des individus, dans leurs perceptions culturelles, dans leurs espoirs, leurs célébrations, leurs institutions locales, en d'autres termes, dans la substance matérielle et l'essence symbolique de leurs vies. Tous les systèmes de pouvoir n'ont pas recours à ce type d'enracinement, mais ceux qui y ont recours sont en général des systèmes tout à la fois puissants et durables.

1 - L'enracinement sexuel

Enraciner une structure de pouvoir dans l'essence personnelle des individus peut se faire à différents niveaux, mais le plus infaillible est encore d'enraciner cette structure dans la définition culturelle de ce que sont les hommes et les femmes et dans l'acte sexuel. L'immersion dans le fait sexuel d'un système centralisé de domination politique rend cette domination "sûre et stable, non pas le produit d'une construction humaine, mais [comme] faisant partie de l'ordre naturel ou divin" (J.W. Scott 1988: 49). Ainsi, une telle immersion opère une dissimulation de l'invention humaine dans un processus naturel. De cette manière, plutôt que construite la hiérarchie de domination apparaît "naturelle," autrement dit, incontestable. De plus, cette dernière est ainsi réintroduite dans les actes mêmes de la vie quotidienne et dans la définition intime que les individus ont d'eux-mêmes. Quand une structure de pouvoir devient ainsi associée et entrelacée à la fois à ce que les hommes et les femmes se sentent être et à l'acte corporel qui les unit, il devient très difficile de la nier, car nier la définition du pouvoir revient alors à nier en même temps la définition et l'expérience de soi-même.

2 - Rituels et pouvoir

L'enracinement sexuel et définitionnel d'une structure de pouvoir peut être accompli de différentes manières, mais l'occasion des rites majeurs est l'un des moments les plus puissants et les plus particulièrement propices à l'enracinement des asymétries de domination dans l'essence individuelle. Par "rites majeurs" nous entendons ici un événement d'envergure et hors de l'ordinaire, un événement circonscrit, répété régulièrement, et que ceux qui participent comme ceux qui ne participent pas s'accordent à le voir comme démarqué du quotidien et comme traitant de sujets d'importance pour une large portion de la population.

La capacité des rites majeurs à créer des perceptions bien précises au plus profond des participants repose en partie sur le degré avec lequel les rituels réussissent, par différents moyens, à amener le corps même de l'individu à refléter ces perceptions. L'un de ces moyens est l'habillement: Selon Walter Benjamin "les vêtements sont littéralement à la frontière entre le sujet et l'objet, l'individu et le cosmos" et de ce fait, par le biais du code vestimentaire, l'invention culturelle en ce domaine se trouve être "à même la peau" (Buck-Morss 1991: 97). Mais si les performances rituelles imposent leur message à fleur de peau entre autres, par l'habillement qu'elles demandent, elles impriment aussi l'imagination culturelle dans la conscience individuelle par le biais de multiples autres formes. Ainsi, les rituels orchestrent des performances individuelles dans lesquelles les individus répètent des séquences spécifiques tout à la fois d'actions, de sons, de mots, de chansons, d'odeurs, de touchers, de positions du corps, d'imagerie et de contacts visuels qui façonnent leurs modes de perception tactile, olfactive, mélodique, et visuelle. En reproduisant le rite dans ses moindres détails, l'individu recrée un message collectif qu'il se représente au travers de son propre corps. Les rituels offrent ainsi un support à l'imagination culturelle; ils font cheminer cette dernière à nos côtés grâce à des sons, des odeurs, des icônes vivantes, des émotions intenses et des personnes qui nous sont chères.

La puissance de l'impression rituelle repose à son tour sur la manière dont les individus se souviennent, sur l'architecture de la mémoire humaine et sur l'importance du corps, l'espace au travers duquel l'individu entre en rapport avec le monde, et dans le processus de mémorisation[2]. Le psychologue Olivier Sacks parle de manière très éloquente de "la nature Proustienne de la mémoire et de l'esprit," de "la nature essentiellement mélodique et scénique de la vie intérieure," ou encore de la nature tactile, mélodique et iconique des phases finales de la codification par le cerveau (O.Sacks, 1987: 147-148). Il soutient que la mémoire finale, pour ainsi dire, est art, images qui orientent, textes de certaines chansons, séries d'odeurs, touchers codés, tout un monde intérieur qui, si les représentations culturelles sont efficaces, se chevauche de manière importante avec le monde intérieur de chacun des autres membres de la collectivité.

Cet aspect de la mémoire a été jusqu'à récemment presque totalement négligé, du fait, entre autres, de l'importance exclusive attribuée dans les études du souvenir au langage (comme si le langage pouvait être séparé du contexte matériel). Heureusement, cette prééminence du langage est maintenant contestée par des études récentes, telles celles de Bahloul (1993), Benjamin (1968), Bourdieu (1980), Buck Morss (1991), Hanks (1990), Sacks (1987), Taussig (1992), qui nous rappellent le pouvoir de l'expérience tactile, l'importance de l'aspect matériel des choses, les allées et venues entre la forme matérielle et les abstractions conceptuelles, la puissance des engagements visuels, la force de l'imagerie iconique et des positionnements du corps, la puissance évocatrice des sons et des odeurs. Les rituels font précisément appel à ces formes d'expression et de perception, tissant ainsi la mémoire individuelle et familiale.

Bien qu'ils aient été remplacés dans bien des endroits du globe par d'autres médias (radio, télévision, cinéma), les rituels, ces performances tactiles par des êtres humains en présence d'autres êtres humains et traitant de questions présumées essentielles, restent des moyens particulièrement puissants de communication de masse. Alors que, de par leur nature même, ces médias présentent des acteurs/présentateurs qui sont distants, différents, non présents de manière palpable, et peut-être même irréels, les rituels incarnés, quant à eux, réduisent très facilement la distance existante entre ceux qui participent directement dans le rituel et ceux qui ne font que le regarder. Ils sont bien différents en cela des médias électroniques qui ne font intervenir que des mécanismes de vue passive et des points de référence et de contact confus et changeants. Du fait de leur caractère matériel manifeste (un caractère qui est lui-même inventé et consciemment organisé), les rites majeurs, peuvent plus facilement permettre à ceux qui sont présents de se sentir participants actifs dans un moment de vérité.

3 - La monarchie marocaine et les rites du premier mariage

Parmi les systèmes d'autorité politique qui ont réussi, entre autres, par des moyens rituels, à "enchanter" de manière personnelle une grande partie de la population figure en bonne place la monarchie marocaine qui est la plus vieille au monde, et dans laquelle le roi détient encore un pouvoir considérable. Le Maroc est un endroit idéal pour étudier les moyens par lesquels un pouvoir politique imprime et régénère dans la conscience et la mémoire populaires une hiérarchie sociale qui devient par là même acceptée. La monarchie marocaine est une institution politique dynamique qui a considérablement changé durant les 1200 ans de son histoire et plus particulièrement au cours des 500 dernières années, période durant laquelle les rituels sont devenus un mode important de renouvellement de l'identité collective et de résistance à l'expansion européenne (Combs-Schilling, 1989). Au Maroc, la relation de la monarchie avec la population est compliquée et changeante mais, d'une manière générale, cette monarchie reçoit le support populaire. Elle est donc un régime qui possède une légitimité populaire réelle, une légitimité qui existe au coeur même des expressions de résistance et de dissension.

Le rite de premier mariage au Maroc illustre à merveille l'un des nombreux processus par lesquels le système au pouvoir s'inscrit dans le corps même des hommes et des femmes qu'il gouverne, ici, en l'occurrence, par le biais d'une dynamique rituelle. Plus précisément, et comme nous allons le voir par la suite de cette contribution, ce rite de premier mariage est un rite qui naturalise et confirme les structures patriarcales et monarchiques du pays[3].

Le rite de premier mariage au Maroc est un événement en pleine transformation (surtout dans le milieu urbain et la classe dominante).[4] Mais, selon nous, le rite comme il fut pratiqué jusqu'à récemment dans les villes, et comme il est toujours pratiqué dans les campagnes aujourd'hui, reste l'incarnation de l'imagination politico-sexuelle du pouvoir, une imagination qui lie l'expérience individuelle et la définition de soi-même avec les formes monarchiques et patriarcales. Ce rite crée une expérience tout à la fois physique, tactile et picturale, une expérience au cours de laquelle les hommes et le pouvoir central usurpent le pouvoir de reproduction sexuée, une usurpation qui leur permet de créer des définitions et des perceptions imaginaires légitimant et naturalisant leur domination dans d'autres domaines. Ces définitions et ces perceptions sont inventées par le rite, par la culture, mais pour beaucoup de marocains elles semblent représenter la réalité biologique. C'est ce qui ressort en effet de notre examen de quatre vingt cérémonies de mariage dont nous fûmes témoins aux quatre coins du Maroc, dans des grandes villes aussi bien que dans des petits villages (Combs-Schilling, 1989 : 319-320, 1991).

4 - Le premier mariage

Les cérémonies populaires de premier mariage ont lieu à travers tout le Maroc, aussi bien dans les villes que dans les villages et les hameaux. Les coutumes matrimoniales ont des couleurs et des significations différentes selon les localités, mais, sur le plan de la structure fondamentale, ces variations ne changent pas le sens patriarcal, patrilinéaire et monarchique de ce rite. Depuis au moins deux cents ans, le rite de premier mariage joue un rôle crucial au Maroc en insérant dans le vécu et dans les espoirs fondamentaux des populations locales l'image de la monarchie (Combs-Schilling, 1989: 188205). Il a assuré la permanence du pouvoir central en le reproduisant à une échelle locale, périphérique, implicite, et individuelle ; ce sont là précisément les aspects du pouvoir que Gramsci, Foucault, Scott, et bien d'autres jugent d'une telle importance pour la constitution du pouvoir.

Le rite populaire de premier mariage enseigne aux jeunes hommes et aux jeunes filles du Maroc ce que c'est que d'être un homme adulte et une femme adulte. Il inscrit dans leurs corps des gestes, des attitudes, des conduites codifiées qui doivent devenir les leurs s'ils veulent être reconnus par la majorité en tant que de vrais adultes. Peut-être n'ont-ils pas eu à adopter ces comportements dans leur jeunesse et n'auront-ils peut-être pas non plus à suivre ces prescriptions dans leur vie future, mais, quoi qu'il en soit, le rituel leur offre une pratique intense dans la connaissance intime de la forme sociale et politique dominante, renforçant ainsi cette dernière comme la référence majeure au travers de laquelle les individus agissent et pensent leur propre identité [5]. Ceci, bien sûr, est le propre de la domination.

Le rite de premier mariage est une intense expérience --physique, mentale, et morale-- de socialisation, un rituel encouragé, suivi et guidé par l'ensemble de la communauté et exalté par les valeurs de cette dernière et par les émotions des participants. L'acte charnel qui constitue l'apogée du rite n'est pas seulement un acte personnel: c'est un acte communautaire et religieux. Au travers de l'acte charnel et de la naissance d'une postérité, la famille et la communauté des croyants sera élargie et renouvelée. Les mariages ultérieurs ne demanderont pas une préparation aussi intense parce que le passage à l'âge adulte a été réalisé. C'est le premier mariage qui opère cette transformation.

La séquence des préparatifs du rite de premier mariage est construite pour rendre concrète et physique l'imagination culturelle. Les actions et les événements sont façonnés de telle sorte que la dominance de l'homme dans la sphère publique, le domaine du durable et du collectif, soit illustrée, alors que les femmes sont assignées à la sphère du privé et du transitoire. Le monarque marocain et l'idéologie patriarcale et patrilinéaire jouent un rôle essentiel dans ce rite de passage. En effet, dans le rite tel qu'il est encore pratiqué dans de nombreuses régions du Maroc, le marié devient un homme en devenant d'abord l'homme, le mâle par excellence qu'est le roi.

Le marié devient symboliquement le roi au début des cérémonies et il le restera jusqu'à leur achèvement, jusqu'à ce que le sang de l'épouse soit répandu. La transmutation métaphorique du marié en roi est totale, elle pousse la transformation symbolique jusqu'à ses limites extrêmes, si bien que pour un temps le marié semble vraiment être le Roi. En projetant et en dissolvant son identité dans celle du monarque, le marié apprend la conduite par laquelle il sera reconnu en tant qu'un adulte à part entière, conduite qui renforce en même temps les fondations de la monarchie.

La transformation du marié s'opère souvent sur la place publique où se tient chaque année le sacrifice communautaire, le grand rassemblement des hommes qui forgent un lien avec le divin au nom de la communauté tout entière (Combs-Schilling 1989: 221228). Le jeune marié est revêtu des vêtements pareils à ceux portés par le roi quand il célèbre le grand sacrifice, et il est entouré d'une cour de conseillers (**wuzara**). On l'appelle **"Mulây al-Sharîf,"** "Notre Seigneur le Descendant du Prophète,"ou **"Mulây Saltân,"** "Notre Seigneur le Puissant," deux des titres favoris du monarque. Dans certaines régions le marié tient cour, parade au travers de la ville, rend la justice dans un simulacre de jugement et se bat avec des hommes plus âgés, combats dont il sort toujours victorieux. Alors qu'il parade dans les rues, les **wuzara** agitent des drapeaux, portent des chandelles allumées et lui adressent des louanges, comme cela se fait pour le vrai monarque. Parfois même, ils tiennent un parasol impérial au-dessus de la tête du Roi-Époux.

Entouré de ces marques d'honneur, le Roi/Epoux se promène dans les rues et se rend dans des lieux particulièrement chargés de signification: la place centrale, la grande mosquée. On le compare aux prophètes et on lui rappelle constamment qu'il est sacré, que son rôle est primordial (Combs-Schilling, 1989: 18820, 213). Plus encore, c'est lui qui par l'acte suprême, l'acte sexuel, assurera la multiplication des familles des croyants et l'extension de la communauté des fidèles.

A l'opposé de ce qui se passe pour le marié, la plupart des préparatifs concernant la mariée se font en privé. Dans ces préparatifs, le rôle de la mariée est d'apparaître inactive: ce sont d'autres qui agissent sur son corps, sur ses yeux, sur sa coiffure. Par un procédé aussi long que compliqué une spécialiste applique l'henné sur les mains et les pieds de la mariée. Pendant tout ce temps, cette dernière doit rester immobile. D'autres la lavent, l'habillent, reçoivent les cadeaux à sa place. La préparation de la mariée est construite de telle sorte que la principale concernée apparaisse comme ne faisant rien de principal ou d'important par elle-même. Le rite façonne l'idée picturale, tactile et auditive qu'être une mariée c'est être manipulée et dirigée de manière consentante, c'est être "passive" et livrée aux mains d'autres qui jouent avec son propre corps et font des actions essentielles. Et bien qu'en fait la mariée doive être au contraire très maîtresse de son corps pour pouvoir apparaître aussi inactive, ce que le rituel exige c'est l'apparence formelle de l'inactivité et de la passivité de la femme.

Dans le rite, la mariée est comparée à des choses transitoires, que l'on mange tel le miel, mais pas à des choses durables, historiques, permanentes comme les prophètes de dieu. C'est la beauté de la mariée, non pas son caractère sacré, qui est le sujet de la plupart des louanges. La mariée reste elle-même, un être transitoire n'existant qu'en ce bas monde. Elle n'a pas droit à la sorte d'élévation de rôle, comme celui d'associer son nom à celui du prophète ou du roi auquel le jeune marié a droit. Elle n'est pas faite reine ; il n'y a pas de reine au Maroc, seulement un roi.

Les événements, les actions, les images du ce rite du mariage créent et communiquent le message que l'homme est central, décisif, en charge, responsable, celui qui octroie permanence à la famille et à la communauté, tandis que la femme est périphérique, dépendante, la donneuse des plaisirs privés du moment et celle qui s'occupe des enfants. Ce rite crucial, qui marque le passage à l'âge adulte des garçons et des filles, fabrique l'image collective et vive où les femmes ne sont ni au centre de la vie communale, publique et politique, ni au centre de l'histoire, ni même, comme nous le verrons, au centre de la reproduction.

Ainsi, ces journées de préparation servent à inculquer au marié et à la mariée leurs rôles respectifs, tout à la fois dans leur corps et dans leur esprit, de même qu'elles servent à renouveler ces perceptions de l'homme et de la femme dans l'imaginaire populaire. Mais l'enseignement le plus décisif est lié à l'événement culminant: la consommation sexuelle et l'épanchement de sang qui l'accompagne.

5 - Une illustration: le mariage d'Aïcha

L'exemple du mariage d'Aïcha avec lequel nous proposons d'illustrer ce qui a été dit plus haut provient du Haut Atlas. Avec ses yeux brillants, ses joues roses et sa grande force de caractère, Aïcha raconte ainsi l'histoire de son mariage.

Quand le dernier jour avant son mariage arriva, Aïcha était envahie aussi bien de peur que de joie. Les jours précédents, on l'avait préparée et célébrée, et puis, en ce dernier jour, et pour la dernière fois, les femmes de sa famille l'ont lavée et habillée. Le moment de partir est arrivé. Dans ce coin du Maroc, les gens disent qu'autrefois une femme ne pouvait quitter sa maison qu'à deux occasions bien précises: le jour de son mariage et le jour de son enterrement. Ce dicton est souvent répété par les hommes comme une plaisanterie, mais une plaisanterie que contredit l'expérience quotidienne de bien des femmes. Comme par le passé, les femmes de cette région sont souvent à l'extérieur, que ce soit pour s'occuper des champs, ramasser du bois, faire la lessive, ou encore rendre visite aux saints. Ce dicton, une narration rituelle porteuse d'images profondes, est comme le rite de premier mariage, une représentation publique et codée, une réaffirmation des normes sociales qui les réintroduit dans une existence quotidienne bien plus compliquée que ce qu'elles affirment.

Les femmes amènent Aïcha dans la cour de la maison, la placent au centre et l'encerclent. Une foule de femmes se joignent à elles et toutes chantent des chansons d'espoir pour l'avenir d'Aicha. Les femmes les plus proches couvrent son visage d'un voile rouge qu'elles nouent avec un cordon. Tout en attachant un brin de basilic, **lhbaq**, à ce dernier, elles chantent: "dîr lhbaq bash rajel yikûn hmaq", "trempes toi dans du basilic pour exciter (ou ensorceler) ton mari". Pour Aïcha, la lumière a disparu. Elle ne peut plus rien voir. Elle entend encore des voix féminines familières, mais bientôt les voix se taisent. Dans une cascade de larmes elle quitte sa mère et sa maison le lieu familier où elle a grandi. C'est pour elle une grande rupture pleine de tristesse.

Son frère vient dans la cour des femmes. Il donne à Aicha un peu d'argent qu'il place dans l'une de ses babouches et prononce quelques mots de bon augure. Puis il prend Aicha dans ses bras et la porte ainsi en dehors de la maison. Aicha est dans une période de transition et pour son grand passage de l'état de fille à celui de femme elle est complètement couverte. Ses épaules ne doivent en aucun cas toucher le sol avant qu'elle n'arrive dans la chambre nuptiale. Son frère l'assied sur un mulet. Un petit garçon est placé devant elle pour signifier l'espoir qu'Aicha donnera naissance à des garçons le moyen le plus direct pour elle d'assurer sa position dans l'avenir. Puis le cortège s'en va: c'est l'un de ses oncles qui mène le mulet. Un petit groupe composé des membres de sa famille et d'amis les accompagnent. Les cris de douleur et les ululements qui viennent de la cour de sa maison deviennent de plus en plus faibles. Bientôt on ne les entend plus.

Une fois à l'extérieur de la ville son oncle monte sur le mulet. Il s'assied par derrière pour protéger Aicha dans la longue et périlleuse ascension qui les mènera à la maison de son beau-père dans les montagnes. Elle ne peut rien voir et même avec son oncle si proche elle a peur de tomber. Mais elle ne dit rien. Elle sait qu'elle doit faire le passage en silence. Les membres de son entourage sont par contre fort bruyants. Ils chantent et rient pendant presque toute l'ascension. Cinq heures après, ils arrivent enfin. Les femmes de la maison de son beau-père ululent leur joie et lancent des amandes aux membres de l'entourage de la mariée.

Le monde est encore en noir pour Aicha. Son oncle la descend du mulet et la porte dans la maison de son beau-père jusqu'à la chambre nuptiale. Il la bénit et la quitte. Les matrones de la famille du marié l'entourent et crient des bénédictions. Quelques amies joignent Aicha et restent avec elle pendant les longues heures de musique et de danse qui s'ensuivent. Aicha ne sort pas de la chambre pendant les célébrations du mariage auxquelles seul son mari assiste.

Et puis enfin, en pleine nuit, arrive le moment de la rencontre. Les amies d'Aïcha lui offrent leurs meilleurs voeux et la quittent. Les matrones ôtent les vêtements d'apparat à la jeune mariée, l'allongent sur le lit nuptial où la coutume dit qu'elle doit rester inactive et immaculée à l'attente du Roi/Epoux.

Aïcha a très peur. Le mariage est un moment qu'elle a espéré toute sa vie, mais ici tout lui paraît si étrange et si loin de sa mère, de sa maison et des choses qui lui sont familières. Et puis, elle a peur de l'acte sexuel. Pour elle c'est la première fois. Elle connaît très peu son mari, un commerçant prospère. Il y a un an, il est venu voir son père pour la demander en mariage. Elle venait juste d'avoir seize ans. Après avoir consulté la mère d'Aïcha et Aïcha elle-même, son père a accepté la proposition et les préparatifs ont commencé. Son mari montre tous les signes d'être un homme qui réussira dans la vie. Il est assez jeune et gentil, pas comme le mari de sa soeur aînée qui a trois fois l'âge de sa femme. Sa famille a arrangé un bon mariage pour Aïcha. Elle sait tout cela, mais elle sait aussi qu'il est difficile d'être ici en ce moment précis, si proche du moment crucial de sa vie. L'idée de ce que son mari va bien pouvoir faire sur elle l'emplit d'inquiétude. Elle n'a jamais fait l'amour; son hymen doit être intact. Mais elle a entendu des histoires de mariées vierges dont le sang n'a pas coulé. Elle a peur. Que va-t-elle faire si son sang ne coule pas? Mais il faut qu'il coule. Elle essaie de se rassurer.

Après le départ des matrones et avant que l'époux n'arrive, Aïcha se lève du lit nuptial et agite sept fois l'une de ses babouches devant la porte en murmurant une incantation destinée à lui assurer l'attachement de son mari. Dans le même but, elle met un peu de poudre magique dans le thé que son mari va boire. Cela fait, elle retourne s'allonger sur le lit et reste immobile.

Ouvrant la porte brusquement, le Roi/Epoux entre. Il met son épée sur les épaules d'Aïcha pour rappeler à cette dernière qu'il est le maître absolu du foyer et il offre une prière pour leur vie commune. Ils boivent un peu de thé et mangent des amandes et des gâteaux. Le moment de la consommation est arrivé. Dans la construction du rite l'initiative revient à l'homme. La société a mis une lourde responsabilité entre les mains du jeune marié et lui même a aussi des inquiétudes. Il pense aux matrones qui vont écouter la consommation derrière la porte avant d'aller raconter à tout le monde leur version, parfois moqueuse, de l'acte. Pour maintenir son rang social et pour agrandir son image au sein de la communauté, le marié sait que tout doit être fait comme prescrit. C'est son premier mariage. Il a des inquiétudes et il est fatigué car du fait des célébrations il n'a pas bien dormi depuis trois jours, et pourtant il faut qu'il procède calmement et sans émotions. Notons-le, alors que les inquiétudes de la mariée viennent de ce qu'elle doit lui laisser faire sur elle, ses inquiétudes à lui viennent de ce qu'il doit maintenant lui faire à elle: c'est cela la division culturelle sexuelle!

La culture marocaine fournit aux femmes comme aux hommes des moyens collectivement reconnus d'influencer leur destin respectif, mais ce sont des moyens tout à fait différents. Alors qu'elle donne aux hommes des moyens directs, politiques et publiques pour qu'ils essaient d'être maîtres de leur destin, elle fournit aux femmes des moyens indirects, magiques et clandestins d'influencer leur destin, souvent par le biais de tactiques destinées à influer sur ces mêmes hommes dont dépend ce destin qui est le leur. Ce sont là deux manières de posséder le pouvoir, mais les moyens de l'obtenir sont différents, comme l'est la nature même du pouvoir obtenu.

L'acte de la consommation est construit de manière à affirmer la domination de l'homme. En principe, la mariée arrive dans la chambre nuptiale avec son hymen intact afin que lui, le mâle suprême (homme et roi à la fois), puisse le transpercer et ainsi la faire saigner. Avec son doigt ou son pénis, l'homme pénètre brusquement la femme, déchirant la fine membrane qui clôt le conduit. Par cet acte spectaculaire le Roi/Epoux est confirmé dans le rôle primordial de l'homme. Le rite crée une "réalité" dans laquelle l'homme figure comme celui qui ouvre la voie par laquelle passeront les enfants, des enfants qui, en accord avec l'idéologie patrilinéaire, porteront son nom et tiendront de lui leur affiliation parentale. Le rite offre en quelque sorte une substantialité à cette idéologie (mais cette substantialité est inventée, manipulée et guidée par la culture). Par la pénétration et l'écoulement du sang, l'homme consacre la matrice de la femme à la maternité et en même temps affirme sa propre domination dans le processus créateur de la reproduction. Le sang indique que le processus créateur a commencé et affirme que c'est l'homme est à l'origine de ce processus. Les chants adressés au Roi/Epoux confirme ce rôle: "gloire à Dieu, gloire au Créateur, gloire à l'Eternel, la Création a commencé" (Jamous, 1981: 271).

Le sang issu de la consommation sexuelle a une grande valeur : le marié passe aux matrones qui attendent de l'autre côté de la porte des linges tachés de sang. Les femmes poussent des ululements à leur vue. Une petite fille, les linges sur un plateau posé sur sa tête, se promène dans les rues pendant que d'autres petites filles dansent autour d'elle en chantant, de telle sorte que tout le monde puisse voir les marques de l'honneur, le signe du contrôle réussi de la reproduction.

En analysant ce rite, les anthropologues ont mis l'accent sur la femme et sa virginité, alors qu'en fait le rite est centré sur l'homme et l'effusion de sang qu'il provoque. La matrice vierge, l'hymen intact, c'est seulement une manière spectaculaire non seulement de légitimer l'invention selon laquelle l'homme joue un rôle prépondérant dans la création, mais aussi de faire vivre cette invention à la mariée avec son propre corps.

Que le sens et l'importance du rite réside plus dans l'homme et sa provocation de l'écoulement du sang que dans la femme et sa virginité devient manifeste si, pour quelque raison que ce soit, l'hymen de la femme a été déchiré. Dans ce cas, l'ordre des choses peut être rétabli par l'effusion de sang sacrificiel. A cette fin le marié apporte dans la chambre nuptiale ·une volaille qu'il sacrifie selon les préceptes islamiques et dont il laisse le sang s'écouler sur les draps et les linges de la femme. Il est donc clair que ce qui importe dans le rite c'est que l'homme fasse couler le sang de la création, pour se prouver et prouver aux autres la "véracité" de l'invention culturelle selon laquelle c'est lui, homme et roi, qui est à l'origine de la création, lui qui met en action le processus de la reproduction qui fait éclore le monde. Dans la culture marocaine avoir des enfants est d'une importance extrême tant pour les hommes que pour les femmes. Dans le rite du premier mariage, la réalisation de ce désir est rendue dépendante de la domination de l'homme. Et alors que tout dans la physiologie de la grossesse indique le rôle primordial de la femme dans ce processus. Après tout c'est elle qui saigne tous les mois, c'est elle qui fournit à l'enfant la matrice dans laquelle il se développe et est nourrit, enfin c'est elle qui met l'enfant au monde, le rite du premier mariage est construit de façon à affirmer la prépondérance de l'homme et du monarque, à donner à la représentation culturelle priorité sur la base physiologique de manière à ce que la nécessité de cette domination apparaisse confirmée par la nature elle-même le déchirement de l'hymen et l'épanchement du sang.

Cette structuration rituelle fait des hommes les usurpateurs culturels du processus biologique tout en établissant le caractère "naturel" de la règle politique contrôlée par une hiérarchie d'hommes. Cette structuration sert de support à l'idéologie patrilinéaire, patriarcale et monarchique, en rendant cette dernière naturelle et confirmant de manière rituelle un système d'intégration verticale dans lequel des hommes clés dominent politiquement tandis que les autres -les hommes du bas de la hiérarchie, les femmes, les enfants- sont politiquement dominés[6]. De manière très subtile, et même inconsciente, le rituel relie -liaison iconique, picturale et tactile- les espoirs populaires de reproduction à ce système.

S'il est vrai que l'homme, et de manière métaphorique le roi, joue un rôle primordial dans le processus de la reproduction, s'il est vrai aussi qu'il en est l'instigateur et le moteur, il est alors fondé que ce soit lui qui confère à ses enfants, de façon inaliénable, leur affiliation sociobiologique, leur héritage historique, leur système de parenté et le nom qu'il porteront. Dans le système patrilinéaire, la femme est considérée comme un réceptacle de vie et celle qui s'occupe des enfants; mais elle ne peut ni transmettre d'identité sociale durable à ses enfants, ni leur donner une place stable dans l'histoire. Dans cet imaginaire culturel patrilinéaire, seul le père peut passer à son fils cet héritage, que le fils transmettra aux générations futures. Les mères, génitrices de l'humanité, disparaissent dans cette histoire, parce que cette histoire est maintenue par les noms, les lignées et la domination formelle des hommes.

Le rite sert tout à la fois à valoriser et à renforcer la monarchie. A travers la fusion métaphorique de l'identité du marié à celle du monarque, le roi se trouve présent au coeur même du processus. C'est lui qui se promène dans les rues, c'est lui que l'on associe avec les espoirs les plus profonds de la communauté. Tuteur bienveillant, il sert de guide et de conseiller au jeune marié: lui enseigne comment un homme se conduit, ce que c'est que d'être un homme, il lui apprend comment prendre des décisions au nom de la collectivité et comment s'engager dans des actions dont dépend le sort des autres. Le Roi pénètre dans la chambre nuptiale avec le jeune marié et l'identité monarchique qui est ainsi conféré à l'époux lui donne le pouvoir de participer à l'acte majeur. A travers l'échange d'identité le Roi fait accéder l'époux à l'âge adulte, tandis que l'époux fait pénétrer le Roi dans son domaine privé, dans ce qui détermine son identité, le premier acte sexuel conjugal. L'identité du chef de la nation et celle du chef de famille ainsi se confondent. Les structures de pouvoir s'interpénètrent et chacune devient dépendante de l'autre.

La prééminence politique "naturelle" des hommes et la subordination politique toute aussi "naturelle" des femmes reposent sur une idéologie si chimérique, si inventée, qu'elle dépend pour être crue de son renouvellement continuel dans la vie tangible des individus. Le rituel du mariage est l'un des moyens profonds de ce renouvellement. Le rite donne une existence corporelle à l'imagination chimérique en confirmant la domination "normale" de l'homme dans la famille et du monarque dans la nation. Cette reproduction culturelle/corporelle est l'un des piliers qui soutiennent le système de domination, mais c'est aussi la source même de sa faiblesse (Taussig 1992). Ce dernier repose en effet sur une base tout à fait imaginaire qui pour être crédible doit être continuellement reproduite dans des forums culturels. De plus, cette domination masculine est contredite par bien des "réalités" de la vie quotidienne, telles la dominance physique de la naissance par la femme, le rôle primordial joué par la femme dans l'éducation de ses enfants, la position centrale de la femme dans la maisonnée, l'importance croissante des femmes dans les professions médicales, légales et académiques, de même que la force, la perspicacité et l'étonnante efficacité de bien des femmes marocaines. D'autres perceptions se font également sentir. Le système de domination a besoin pour survivre de son mode de production rituel, à tout le moins d'un quelconque forum où il puisse atteindre les masses. Bien que la base rituelle soit le support le plus effectif et le plus populaire du pouvoir, cette base est en train de se transformer. Les transformations, si elles s'avèrent suffisantes, pourraient bien percer un peu plus l'armure politique nationale.

Conclusion

La culture peut assurer la persistance des créations de son imagination en les enracinant dans des structures biologiques de sorte qu'il devient difficile de distinguer la vérité physique de l'invention culturelle. Le premier mariage au Maroc opère cette fusion. La consommation sexuelle est élaborée de façon à démontrer qu'il revient aux hommes d'enclencher le processus qui fait éclore la vie sur terre et donne naissance à l'avenir. Le rite établit un modèle extrinsèque d'autorité qui a une valeur intrinsèque et personnelle, une valeur au niveau du subconscient. Le rituel du premier mariage construit une "réalité" physique et métaphysique dans laquelle les aînés, vêtus de blanc et dominant comme à juste titre le processus de décision, sont les instigateurs de la naissance et de la violence, et les médiateurs des aspirations collectives. Le rite encourage l'adhésion de tous à ces inventions de la culture en les enracinant dans les substrats biologiques fondamentaux de la naissance et du sexe.

Quand un système de domination politique est réalisé au travers de son rattachement aux caractéristiques physiques de l'homme et de la femme et au travers de son inclusion dans l'acte sexuel et reproductif, il joue un rôle fondamental dans la constitution de l'identité et, de ce fait, s'auto-reproduit au niveau des relations individuelles et du vécu quotidien dans l'ensemble de la société. Godelier affirme que "ce n'est pas la sexualité qui façonne les processus de la société, mais la société qui façonne la sexualité des corps" (1981: 17). Ce façonnement peut être puissant. A son maximum, le mécanisme du pouvoir politique et les mécanismes de régulation individuels convergent. Les contraintes institutionnelles deviennent des disciplines personnelles et il devient extrêmement difficile de contrecarrer le dispositif de domination, car il est étroitement lié aux définitions personnelles, à la perception que l'individu a de lui-même, aux moyens qui lui permettent de forger son identité, d'affirmer sa valeur à ses propres yeux et de la faire reconnaître par les autres. Quand un système de domination politique est incarné à ce niveau, il ne peut être soumis à l'examen individuel sans que l'individu lui-même n'en subisse les conséquences, sans que l'ensemble du système intérieur et extérieur soit remis en question, car c'est précisément le tout qui est en question. Enraciner un système de domination politique dans la division sexuelle et dans l'acte sexuel est, pour reprendre une expression de Bourdieu, "la mieux fondée des illusions collectives" (1980: 24). C'est une illusion qu'il devient très difficile d'abandonner.

Le Maroc est un exemple frappant de l'infusion d'un système de domination politique dans le cadre de l'identité sexuelle. Mais le Maroc n'est qu'un exemple parmi tant d'autres de ce genre que l'on trouve partout, y compris dans le monde occidental, genre qui a adopté comme norme de légitimation la hiérarchisation des rôles masculins et féminins façonnés par la culture et les formes dominantes de construction de l'acte sexuel.

Dans le rite de premier mariage au Maroc, les prescriptions sur l'acte sexuel et le sang qui doit être répandu servent de justification, au travers de faits physiologiques, à la légitimité de la dominance du monarque et de l'homme non seulement dans le processus de la reproduction mais aussi, grâce à cette domination intrinsèque, dans d'autres domaines également. Au cours des nuits de premières noces les structures du pouvoir et celles de l'identité personnelle sont confondues, et un système de pouvoir, vieux de plusieurs siècles, se trouve ainsi revivifié.

BIBLIOGRAPHIE

Abu-Lughod, Lila 1986. *Veiled Sentiment. Berkeley : University of California Press.*

----1991. "The Romance of Resistance: Tracing Transformations of Power through Bedouin Women." *In Beyond the Second Sex: New Directions in the Anthropology of Gender.* Eds. P. Sanday and R. Goodenough. Philadelphia: University of Pennsylvania Press.

Bahloul, Joelle. 1993. *The Architecture of Memory. New York* : Cambridge University Press.

Benjamin, Walter. 1968. *Illuminations.* Ed. Hannah Arendt. New York: Harcourt Brace Jovanovich, Inc.

Bourdieu, Pierre. 1980. *Le sens pratique.* Ed.de Minuit. Paris.

BuckMorss, Susan. 1991. *The Dialectic of Seeing : Walter Benjamin and the Arcades Project.* Cambridge, Massachusetts: The MIT Press.

Combs-Schilling, M. E. 1989. *Sacred Performances : Islam, Sexuality, and Sacrifice.* New-York: Columbia University Press. 1989

----1991. "Etching Patriarchal Rule: Ritual Dye, Erotic Potency, and the Moroccan Monarchy." *in Journal of the History of Sexuality I: 658681.*

Foucault, M. 1980. *Power/Knowledge: Selected Interview and Other Writinqs 197277.* Ed. C. Gordon. New York: Pantheon Books.

Giddens, Anthony. 1987. *Social Theory and Modern Sociology. Stanford: Stanford University Press.*

Godelier, Maurice. 1981. "The Origins of Male Domination." *New Left Review* 127:17.

Gramsci, A. 1976. *Selections from the Prison Notebooks. Eds. Q. Hoare and G. Nowell Smith.* London: Lawrence & Wishart.

----1977. Selections from Political Writings 1910-1920. Ed. Q. Hoare. London: Lawrence & Wishart.

Greenblatt, Stephen. 1988. *Shakespearean Negotiations.* Berkeley: University of California Press.

Hanks, William F. 1990. *Referential Practice: Language and Lived Space among the Maya.* Chicago: University of Chicago Press.

Jamous, Raymond. 1981. *Honneur et Baraka.* Paris: Editions de la Maison des Sciences de l'Homme.

Kakar, Sudhir. 1989. *Intimate Relations :* Exploring Indian Sexuality. Chicago: University of Chicago Press.

Mernissi, Fatima. 1987. *Beyond the Veil : MaleFemale Dynamics in Modern Muslim Society.* Bloomington: Indiana University Press.

----1990. *Sultanes oubliées.* Paris: Albin Michel.

Naamane Guessous, Soumaya. 1987. *Au delà de toute pudeur : la sexua lité féminine au Maroc*. Casablanca: Soden.

Sacks, Oliver. 1987. *The Man Who Mistook His Wife for A Hat*. New York: Harper and Row.

Seremetakis, Nadia. 1991. *The Last Word: Women, Death, and Divination in Inner Mani*. Chicago: University of Chicago Press.

Scott, James C. 1990. *Domination and the Art of Resistance*. New Haven: Yale University Press.

----1985. *Weapons of the Weak: Everyday Forms of Peasant Resistance*. New Haven: Yale University Press.

Scott, Joan Wallch. 1988. *Gender and the Politics of .History*. New York: Columbia University Press.

Taussig, Michael. 1992. *The Nervous System*. New York: Routledge.

NOTES

1- Contrairement à ce que Giddens (1987) affirme, un individu n'est pas déterminé de manière simple par le système auquel il appartient et un analyste politique se doit de comprendre comment, et à quel degré, les désirs, les espoirs et les projets d'un individu peuvent être exprimés autant au travers de son support de la forme politique dominante qu'au travers de son opposition à cette dernière.

2- Nous avons tiré l'expression "architecture de la mémoire" de l'ouvrage du même titre par Bahloul (1993).

3- Soit dit en passant, les États Unis ont aussi des rites majeurs, tel celui du football, qui légalisent et naturalisent, dans la chair américaine pourrait-on dire, le patriarcat et la présidence.

4- La position privilégiée des membres de la classe aisée est souvent directement liée à la position privilégiée du roi, et si les activités rituelles de ce groupe semblent moins soutenir la monarchie, bien d'autres liens les unissent par ailleurs.

5- Sur le plan de la personnalité individuelle il y a des variations considérables entre hommes et femmes et, suivant les circomstances, les hommes peuvent être tranquilles et doux, alors que les femmes peuvent être énergiques et autoritaires, et vice versa. De surcroît, au-delà de la personnalité et des inclinations personnelles, il y a bien d'autres facteurs (classe, âge, lieu, scolarité, etc.) qui interviennent dans l'expression de la définition sexuelle et des pratiques intimes. Mais ce qui nous intéresse ici c'est la réaffirmation publique et manifeste de la forme dominante dans les rites majeurs.

6- Pendant 1200 ans le souverain a toujours été un homme. De 1961, date de l'adoption de la constitution et de l'établissement du parlement national, à 1992 tous les membres du parlement, qu'ils aient été élus ou nommés, ont été, sans la moindre exception, des hommes. Toutefois certaines femmes marocaines, de par la force de leur personnalité et grâce aux circonstances de l'histoire, ont eu une certaine influence politique (voir, par exemple Mernissi 1990), mais aucune d'entre elles n'est devenue monarque. Cet article ne traite que le pouvoir de la forme politique dominante; la question des formations existant à la périphérie du système et contestant la forme dominante sera considérée dans un prochain article.

Signification du voile au Maroc Tradition, Protestation ou Libération

Leila HESSINI

*L*a résurgence islamique est devenue l'un des enjeux capitaux dans le monde musulman. Malheureusement, les média occidentaux omettent souvent de couvrir ce phénomène ou contribuent à renforcer l'image linéaire et fragmentée que l'occident se fait de l'Orient. Au coeur de cette perception erronée se trouve sans aucun doute l'intégrisme musulman. "L'affaire du foulard islamique" qui capta l'attention du public français au cours de l'automne 1989 illustre parfaitement l'ampleur du malaise et du malentendu qui séparent musulmans et non-musulmans. Deux écolières musulmanes n'avaient commis d'autre crime que de porter un foulard, pensant ainsi se conformer aux préceptes de l'Islam. Leur comportement fit scandale auprès du public français. De toute évidence, l'enjeu dépassait l'opposition traditionnelle entre laïcité et religion pour toucher une fibre plus sensible et moins rationnelle. Il est peu probable que deux jeunes filles portant une croix ou tout autre symbole religieux aient déclenché de telles réactions. En quoi le **hijâb** diffère-t-il d'autres symboles religieux dans l'inconscient occidental ?

Le voile apparaît comme le parfait vecteur de la phobie de l'Islam pressenti comme étant imposé aux femmes musulmanes, il est un symbole de leur oppression. Or, l'image de la femme musulmane docile, qui derrière son voile doit servir les hommes du foyer, est omniprésente dans l'imaginaire occidental. L'idée que ces femmes puissent, de manière délibérée, choisir de porter le voile est à peine concevable.

Afin de dépasser mes propres préjugés et d'aller au delà du mythe de la musulmane opprimée, j'ai décidé d'analyser les raisons qui poussent de plus en plus de femmes instruites ou ayant une profession à porter le

hijâb au Maroc. Mon postulat étant qu'une meilleure compréhension de ce phénomène dans un pays permettrait également de mieux saisir le sens de la résurgence islamiste dans d'autres pays et par la même de l'Islam. J'ai choisi de concentrer mes recherches sur les femmes instruites pour trois raisons principales. Tout d'abord ces femmes, ayant reçu une instruction, sont plus à même d'avoir consciemment décidé de porter le **hijâb**. Deuxièmement, on peut présumer qu'étant instruites, elles ont une bonne connaissance de l'Islam. Enfin, le choix de ces femmes, originaires de classes sociales relativement privilégiées, ne peut être le simple résultat du cycle "pauvreté/chômage/ignorance" qui est habituellement rendu responsable du développement des mouvements islamistes. La question à laquelle il sera tenté de répondre est de savoir pourquoi des femmes choisissent délibérément de s'enfermer dans ce qui est habituellement considéré comme un système oppressif créé par l'homme?

Certains soutiendront sans doute qu'il ne peut y avoir de choix réellement libre - c'est-à-dire dépourvu de contraintes - pour ces femmes, étant donné que leur décision est prise dans le cadre d'une religion où elles ne sont que des sujets passifs. Il reste que les femmes marocaines s'habillent de manières très variées. Afin de mieux comprendre pourquoi certaines d'entre elles choisissent le **hijâb** il est nécessaire d'assumer qu'elles ont un choix et que le port du voile est l'expression délibérée de leur foi.

L'enquête a été effectuée d'octobre 1989 à mai 1990 à Rabat, Casablanca et Safi. La plupart des entretiens ont été conduits en français, la majorité de ces femmes ont une très bonne connaissance de cette langue du fait qu'elles sont instruites; cependant certaines discussions se sont déroulées en arabe. Les entretiens ont eu lieu dans différents contextes: certains chez moi, d'autres au domicile de l'interviewée et d'autres dans des salles de classe à l'université. Les femmes décidaient du lieu de rencontre et choisissaient habituellement un lieu où nous pouvions être seules. J'ai conduit trente entretiens de manière formelle et j'ai eu l'occasion d'avoir nombre de discussions informelles aussi bien avec des hommes que des femmes, concernant le caractère obligatoire ou facultatif du port du voile d'après le Coran. Les femmes interviewées étaient âgées de vingt à quarante ans . Bien que limité, mon échantillon est néanmoins représentatif d'un groupe social composé de femmes urbaines et instruites qui ont fait un choix conscient en ce qui concerne la pratique de leur religion. Je me suis attachée dans cet essai à reproduire de manière aussi précise que possible les affirmations de ces femmes. Pour préserver l'anonymat des femmes ayant participé à ces entretiens, je leur donne dans ce texte des noms fictifs.

Bien qu'il existe une grande variété de types de voiles à travers le monde musulman, je partage l'opinion de Fadwa El Guindi (1983) qui rejette l'idée que le port de voile actuel soit un retour au voile d'antan, étant donné qu'à l'origine le port du voile avait essentiellement une fonction sociale d'identité de classe pour les aristocrates et d'identité urbaine pour les paysannes se rendant en ville. Le phénomène récent de retour au voile n'est en rien un symbole de distinction sociale, il est un instrument d'unification dans lequel chaque musulmane islamiste peut se reconnaître indépendamment de son origine régionale ou sociale.

Le **hijâb** diffère du voile traditionnel non seulement de part son aspect physique, mais de part l'état d'esprit de celle qui le porte en ce que celle-ci est convaincue d'exprimer un choix personnel et délibéré. C'est ce qu'exprime Souad: "ma mère a toujours porté le voile, mais elle ne savait rien de l'Islam. Elle portait le voile par tradition, moi je le porte par conviction." Une autre interviewée, Wafa affirme que les femmes portant le **hijâb** sont de "vraies croyantes" alors que celles qui portent le voile traditionnel le font par habitude. Pour d'autres, le **hijâb** n'est qu'une version moderne du voile portée par les femmes à l'époque du prophète. A travers cet essai, j'utilise les termes "**hijâb**" et "voile" de manière interchangeable pour faire référence au voile islamique préconisé par les mouvements islamistes pour les musulmanes. Le port de la tenue islamique est au coeur d'un mouvement de quête d'authenticité islamique à travers les pays musulmans. En France, ce mouvement est souvent qualifié d'intégriste. Je partage l'opinion de Nikkie Keddie qui utilise l'expression "mouvement islamiste" plutôt que "mouvement intégriste." Selon elle: "le terme islamiste est utilisé en accord avec une pratique croissante dans plusieurs langues pour qualifier les mouvements récents qui visent à accroître le rôle de l'Islam dans la société et la politique, le plus souvent en vue d'instaurer un état islamique. Il a l'avantage sur d'autres termes d'être acceptable par les musulmans, aussi bien islamistes que non-islamistes et d'être suffisamment large pour couvrir plusieurs tendances. (Nikkie Keddie,1986: 26)

Les membres des mouvements islamistes prônent donc l'authenticité de leur identité islamique, en accord avec leur héritage musulman libéré des valeurs matérialistes de l'occident. Ils exigent une pratique rénovée et vraie de l'Islam basée sur des normes culturelles locales, aussi bien que sur les valeurs de l'Islam traditionnel. L'enjeu du pouvoir et de la définition des rôles selon le sexe dans les pays musulmans a déjà fait l'objet de recherches approfondies et ne sera pas abordé ici. Je vise exclusivement à déterminer et à analyser les motivations d'un nombre croissant de femmes marocaines instruites qui choisissent de porter le **hijâb**.

1 - Le hijâb : vêtement et identité

L'affirmation suivante a été répétée par plusieurs femmes marocaines auprès desquelles j'ai menée mon enquête: "nous ne voulons pas les valeurs de l'Occident, car nous voyons ce que ces valeurs ont fait à l'institution de la famille. Nous recherchons nos propres valeurs dans l'Islam." Dans une société encore tourmentée par les séquelles du colonialisme et submergée par l'influence occidentale, ce qui est souvent qualifié de "retour à un Islam dépassé" apparaît comme une réponse à un nouvel ensemble de conditions sociales en mutation constante. Dans ce contexte, la tenue islamique et le **hijâb** deviennent des symboles de stabilité et d'adhésion à un système de valeurs authentiques. Les valeurs inhérentes à l'Islam visent à la cohésion sociale qui est préservée grâce à la structure familiale et à l'intérieur de celle-ci grâce aux rôles spécifiques de l'homme et de la femme.

Traditionnellement, les tâches de l'homme prennent place dans la sphère publique et extérieure, alors que la femme exerce ses obligations dans l'espace intérieur privé. Pour les femmes interviewées, ce système codifié procure un sens de sécurité. Ces femmes considèrent que contrairement aux sociétés occidentales, les rôles sont complémentaires et dépourvus d'ambiguïtés, ainsi que le font remarquer plusieurs d'entre elles: "les hommes et les femmes peuvent occuper les mêmes emplois et assumer des fonctions similaires et peuvent ainsi remplir les mêmes fonctions. Vous avez opté pour des rôles compétitifs au lieu de rôles complémentaires."

La majorité des femmes interrogées reconnaissent cependant qu'il est souvent difficile actuellement pour un ménage de vivre avec un seul salaire et qu'en conséquence les femmes doivent souvent travailler à l'extérieur, à condition que cela n'empiète pas sur leur obligation première: s'occuper de leur foyer. Certaines estiment également que les femmes ont un rôle à jouer dans le développement du pays et doivent travailler à l'extérieur. Cependant dans une société islamique idéale, les femmes devraient rester à la maison, comme le remarque Aïcha: "si la femme peut rester à la maison, c'est mieux; cela évite des problèmes, aussi bien au sein de la petite famille que de la grande famille."

D'autres, comme Fatima, rendent les femmes responsables du niveau actuel de chômage : "les femmes ont envahi toutes les positions au travail; cela a créé des problèmes pour les hommes qui n'ont plus de travail". Le concept que des femmes puissent travailler pour leur épanouissement personnel ou même professionnel n'est jamais évoqué. Pour Houria, il est important que "des femmes portant le **hijâb** poursuivent des études avancées et occupent de bonnes positions (médecins, juristes..). Si nous faisons cela nous projetons une bonne image et donnons le bon exemple. Nous montrons aux autres comment pratiquer le vrai Islam. J'aimerais influencer d'autres personnes et les amener à porter le **hijâb**." Houria exprime ainsi le besoin ressenti par un grand nombre de femmes voilées d'être un modèle pour les autres femmes, celles qui ont quitté leur espace "naturel". La grande majorité des femmes interrogées s'accordent à dire qu'il est acceptable que dans la société actuelle les femmes pénètrent dans l'espace masculin. Cependant, afin de ne pas menacer l'équilibre de la société, la division de l'espace et la distinction entre le monde privé et public ne doivent pas être remises en cause. Hommes et femmes doivent rester séparés, ces dernières devant donc porter le **hijâb** qui peut être conçu selon la tradition comme une partition séparant deux choses l'une de l'autre. La seule manière acceptable pour les femmes de pénétrer dans le monde masculin est de se protéger en restant dans leur espace privé. Layla l'explique ainsi: "le port du **hijâb** est une façon de montrer que les femmes ont un rôle à jouer dans la société. Bien sûr que je suis en faveur du travail des femmes à l'extérieur, sinon je ne serais pas pour le **hijâb**. Les femmes ne portent pas le **hijâb** à la maison." Le voile apparaît donc comme un symbole d'intériorité.

L'espace "naturel" de la femme étant à l'intérieur, elle ne peut en sortir qu'en restant dans son propre espace délimité par les contours du voile. En quelque sorte la femme jouit ainsi d'un statut d'extra-territorialité lui permettant de circuler librement en territoire "étranger" sans constituer une menace pour l'ordre établi. La femme en **hijâb** peut travailler à l'extérieur de la maison; cependant cela ne doit pas affecter ses responsabilités de femme d'intérieur, ainsi que Souad le souligne "une femme peut être docteur, juriste ou tout ce qu'elle veut, mais elle garde la même responsabilité à la maison qui est de s'occuper du ménage." Même si la femme travaille, la responsabilité du mari reste la plus importante. Les interviewées insistent sur le fait que "l'homme a plus de responsabilités que la femme. C'est à lui de prendre soin d'elle financièrement. Même si elle a de l'argent, elle n'est pas obligée de le dépenser pour la famille, elle peut le garder pour elle-même!" Cette responsabilité de l'homme, la **"nafaqa"**, est stipulée par l'article 115 de la Mudawwana, le code du statut personnel marocain : "Toute personne subvient à ses besoins par ses propres ressources à l'exception de l'épouse dont l'entretien incombe à son époux."

Cette responsabilité exclusive de l'homme crée dans la pratique une multitude de problèmes. Dans la société marocaine contemporaine, de nombreuses femmes travaillent et sont même parfois chefs de familles[1]. Il est fréquent que les femmes contribuent, par la force des choses, au revenu familial. La législation marocaine ne tient cependant aucun compte de cette évolution de la société. Ainsi le fossé entre la Mudawwana et la réalité sociale du Maroc se creuse chaque jour davantage au point que théorie et pratique deviennent irréconciliables.

Le Maroc est une société en mutation, prise entre deux systèmes de valeur contradictoires, l'un ancré dans la tradition musulmane, l'autre inspiré de la civilisation occidentale. Lorsque l'identité individuelle est en permanence remise en question, l'acquisition d'un sentiment d'appartenance à quelque chose d'authentique est crucial. Une façon pour les femmes de faire face à cet émiettement de leur identité est de porter l'habit authentique de la société islamique : la **djellaba** et le **hijâb**. Soraya le souligne quand elle dit "je me sens comme une vraie femme quand je porte le **hijab**, et pas comme le genre de femme que l'on voit sur les panneaux d'affichage". Aïcha renforce cette idée: "porter le voile , c'est être une vraie croyante, et être une vraie croyante, c'est appartenir à quelque chose qui est un tout : une religion, une culture, une communauté". La relation entre le voile et la notion d'identité a été explorée par Andrea Rugh qui affirme que l'habit est une façon de montrer son appartenance à un groupe et d'affirmer sa différence par rapport à un groupe (Rugh,A.,1986). Dissimuler son corps et porter le **hijâb** démontrent l'adhésion à un groupe réellement musulman, tout en se différenciant d'autres groupes sous influence occidentale.

Il existe donc un besoin de porter des vêtements qui reflètent l'identité culturelle musulmane et qui ne soient pas une singerie de l'occident. De nombreuses femmes affirmèrent que les musulmanes ne devraient ni s'habiller comme des hommes (c'est-à-dire porter les jeans), ni s'habiller comme des non-musulmanes. Pour une femme, porter le **hijâb** atteste d'un choix délibéré et d'une appartenance à un groupe qui professe certaines normes éthiques. Dans une société imprégnée par les valeurs occidentales, le besoin d'affirmer sa différence et d'avoir son propre système de valeurs est crucial. Dans ce contexte, le port du **hijâb** est un acte d'appartenance permettant d'accéder à une identité redéfinie.

2 - Hijâb et Religion

Tout aussi importante est la signification du **hijâb** en tant qu'acte de foi. Le port du **hijâb** permet également aux femmes d'être admises au sein de groupes religieux où elles étudient le Coran et les Hadith avec d'autres femmes. Ces groupes d'entraide ont des fonctions très variées: religieuse, sociale et parfois même de soutien financier. Ils peuvent également aider une "bonne musulmane" à trouver un mari qui soit "bon musulman". L'Occident est la cible de multiples attaques portant sur le manque de cohésion familiale, le taux de divorce, l'immoralité sexuelle, la criminalité, etc. Autant de maux liés les uns aux autres, et qui menacent la société marocaine dans son équilibre social.

Le port de voile est censé prévenir ce danger. De plus, il offre aux femmes qui le portent des bénéfices spirituel immédiats. Au sentiment d'appartenance à un groupe de femmes ayant la même croyance et les mêmes objectifs s'ajoutent la conviction de vertu personnelle et de satisfaction d'avoir accompli la volonté d'Allah. Ainsi, par le port même du **hijâb**, les femmes se voient attribuer et s'approprient des valeurs émanant d'un ordre divin.

Certains musulmans affirment que le Coran n'exige rien de plus des femmes que de la pudeur, ou encore que le terme arabe "**khimâr**" est sujet à différentes interprétations. Alors que Mohamed Pickthall (Le glorieux Coran: 1987) traduit "**khimâr**" par voile, Régis Blanchère (Le Coran: 1980) utilise le terme "châle" dans sa traduction. Il est clair que les différentes traductions peuvent mener à des interprétations divergentes. Cependant toutes les interviewées estiment que la sourate "**An-Nûr**" exige sans équivoque que les femmes musulmanes portent le voile: "Dis aux croyantes de baisser le regard et d'être modestes, et de n'exposer que leurs ornements apparents, et de couvrir leur poitrine de leurs voiles..." (Sourate "la Lumière" v.31)

Toutes les interviewées partagent le sentiment qu'elles ont grandi sans comprendre le Coran, que leurs parents n'ont pas su leur montrer le "droit chemin", et qu'elles vivent dans une société ou l'Islam n'est pas correctement pratiqué. Comme Wafa me l'a expliqué: "d'abord tu dois comprendre que nos parents ne savaient pas grand chose de l'Islam. Nous n'avons pas été éduquées correctement, ils ne nous ont pas enseigné le droit chemin." Malika réitère le même thème: "j'ai commencé à prier quand j'avais sept ans, mais c'était par besoin d'imiter mes parents. Ma mère, bien qu'illettrée, fait ses prières. Mais elle ne fait que répéter sans cesse le même verset que quelqu'un dans la famille lui a enseigné."

La conviction qu'ont ces femmes d'avoir été élevées dans l'ignorance de leur religion est liée, non seulement à la façon dont leurs parents pratiquent l'Islam, mais également à une idéalisation d'un passé plus lointain, l'époque du Prophète, lorsque le vrai Islam est supposé avoir été pratiqué. L'idée qu'aucun autre système n'est convenable pour la société et que l'Islam est la seule réponse possible est dominante. Il m'a été affirmé à plusieurs reprises que "le capitalisme aux Etats-Unis mène au chaos, le communisme est dépassé, et la laïcité, telle que pratiquée en Tunisie, va à l'encontre de la volonté divine." Par conséquent ces femmes se sentent trompées, non seulement par leur famille, mais également par la société. Ni l'une que ni l'autre n'ont été à même de leur apporter la "vérité". Il en résulte d'après Layla que "la pratique de l'Islam authentique est la seule chose qui puisse nous sauver." L'Islam authentique auquel aspirent ces femmes est celui qui était pratiqué à l'époque du Prophète. Plutôt que de réinterpréter les structures actuelles de leur société, leur désir est de recréer un passé idéalisé qui est leur modèle. Un élément fondamental de cet idéal est la croyance qu'une société réellement musulmane est une société égalitaire. Selon Aicha "si nous appliquions la loi islamique, les inégalités actuelles n'existeraient pas. Il y aurait la **zakâh** (l'aumône, l'un des piliers de l'Islam.), il n'y aurait plus de pauvres car les riches seraient obligés de donner aux pauvres. Il n'y aurait plus d'adultère car les femmes porteraient le **hijâb** et des vêtements amples. Les femmes ne travailleraient qu'en cas de nécessité laissant ainsi plus d'emplois pour les hommes."

L'affirmation que la pratique du vrai Islam résoudrait la plupart des problèmes sociaux exprime la conviction que les Marocains pratiquent une foi qui dévie sensiblement du "droit chemin". Habiba le souligne: "malheureusement, il est très difficile de vivre dans une société comme la nôtre qui n'est pas musulmane". A la question de savoir si une société réellement islamique existe aujourd'hui ou existait dans le passé, la réponse dominante est que cette société n'a existé que du vivant du Prophète. Comment ces femmes peuvent-elles donc pratiquer leur foi dans une société corrompue? Malika décrit les difficultés qu'elle a dû surmonter: "j'ai travaillé en tant que médecin pendant cinq ans, mais j'ai arrêté il y a

deux ans, car je ne pouvais à la fois travailler et appliquer mes idéaux islamiques. Pour travailler dans une société telle que la nôtre, il faut avoir des
idées séculières. L'Islam est un mode de vie qui ne peut être appliqué dans
un système où seul l'argent compte". Fatima exprime une idée similaire:
"même si nous sommes convaincues de notre foi, nous ne pouvons la
mettre en pratique. J'ai des amies qui aimeraient porter le **hijâb**, mais si
elles le faisaient elles perdraient leur emploi."

La conviction d'obéir à la volonté divine, de pratiquer un Islam
authentique, aide ces femmes à survivre dans une société qu'elles
considèrent corrompue. L'Islam qu'elles revendiquent est une protestation
envers L'Islam "officiel" dilué et occidentalisé qui, selon elles, est la
norme aujourd'hui. Pour ces femmes l'Islam, en tant que système cohérent
de valeurs et source de justice, ne peut faire l'objet de compromis.

3 - Hijâb et Corps

Quelle conception ces femmes ont-elles de leur corps et comment cela
affecte-t-il leur décision de porter le **hijâb**? Aïcha l'explique ainsi: "je
porte le **hijâb** car je ne veux pas sortir nue." Si la croyance que toutes les
femmes non revêtues du **hijâb** sont "nues" est implicite, la question se
pose de savoir où commence la nudité. Dans la culture occidentale, "être
nue" signifie ne porter aucun vêtement. Pour ces femmes, cependant, le
concept de nudité a d'autres implications. Pour qu'une femme soit
considérée "nue," il suffit qu'elle mette en valeur la ligne ou les formes de
son corps. Elle démontre ainsi sa volonté d'attirer les hommes, ce qui en
public est considéré comme tabou. Plusieurs femmes ont insisté sur ce
point. "Regarde comment les femmes s'habillent aujourd'hui," observe
Souad. "Elles portent des habits tellement serrés, c'est comme si elles
étaient nues. C'est tout comme si on montrait un bonbon à un enfant et
qu'on lui disait " regarde, regarde... mais tu ne peux pas l'avoir." Souraya
est d'accord: "regarde les femmes qui portent des minijupes et beaucoup
de maquillage pour aller travailler. Est-ce qu'elles vont vraiment au
travail, ou est-ce qu'elles pensent à autre chose".

Malika m'explique que le **hijâb** symbolise un refuge qui permet à ces
femmes de se retirer d'une société qui n'a pas tenu ses promesses: "Le
hijâb est un moyen de prendre mes distances d'un monde qui m'a déçue.
C'est ma petite prison personnelle". Les femmes échappent ainsi à société
qui les traite comme des "objets sexuels" et qui utilise "l'argent comme un
piège". Le port du **hijâb** et de la **djellaba** apporte également un certain
sens d'anonymat. Etre capable de passer "incognito" diminue les

différences extérieures entre classes sociales ; ce qui est perçu comme une étape vers une société plus égalitaire. Ces femmes ne sont plus jugées sur leur apparence physique, leurs habits à la mode, ou le fait qu'elles aient ou non des bijoux. Au contraire, elles sont estimées pour leur personnalité et leur intelligence. Porter le **hijâb** réduit également la notion de compétition et conduit, de facto, vers un monde plus égalitaire.

La nécessité de porter le **hijâb** prend racine dans la croyance bien ancrée que les femmes, de par leur nature, existent et provoquent et par conséquent sont présumées responsables de tout ce qui peut leur arriver d'illicite. Lorsque les femmes portent le **hijâb**, elles sont protégées des hommes et des conséquences négatives qui peuvent résulter de la confrontation entre les sexes. Cela implique également que le **hijâb** protège dans l'ordre social établi. Par contre, les femmes "dévoilées" ne sont pas protégées. Lorsqu'elles s'aventurent dans l'espace public "nues et sans défense" elles sont une menace potentielle pour l'équilibre social. Le **hijâb** offre une protection aux femmes qui le portent et garantit l'honneur de la famille, pilier de l'équilibre social.

La notion que les femmes provoquent par nature est liée au sentiment de culpabilité des femmes et au manque de respect pour elles-mêmes. Comme le souligne Wafa: "si les femmes étaient bonnes, la société serait bonne." La conception qu'elles ont de leur corps et de leur sexualité conditionne ces femmes à porter le **hijâb**. La plupart d'entre elles estiment que les hommes sont "forts et dignes" alors que les femmes sont "faibles et capricieuses". Le paradoxe est que nombre d'entre elles affirment qu'elles portent le **hijâb** pour parer à la faiblesse principale de l'homme: son incapacité de contrôler son appétit sexuel.

Cependant, le fait que les hommes soient faibles en ce qui concerne leur sexualité n'a pas la même connotation péjorative que la faiblesse émotionnelle attribuée aux femmes. La croyance dominante est que le corps de l'homme est plus pur et donc plus religieux que celui de la femme. Cela va de pair avec le mythe de l'impureté de la femme et par conséquent de son infériorité de la femme. Comment les femmes peuvent-elles avoir une opinion positive d'elles-mêmes alors que le fonctionnement cyclique de leur corps est considéré comme une forme de dépravation? Soumises aux menstrues, considérées comme de véritables cycles d'impureté institutionnalisée, les femmes sont contraintes, lors de leur état "impur," à ne s'engager à aucune activité religieuse, qu'il s'agisse de prière ou de jeûne. Par surcroît, la valeur d'une telle activité accomplie dans l'état d'impureté serait considérée nulle et non avenue. Les femmes sont donc exclues, une semaine par mois, de la communauté des croyants. Ainsi Houria insiste que: "les hommes sont plus religieux que les femmes. Une femme ne peut, durant son cycle menstruel, ni prier, ni jeûner, ni même toucher le Coran."

Le sentiment de culpabilité qu'éprouvent ces femmes vis-à-vis de leur corps n'est pas anormal dans une société où elles sont tenues pour responsables de tout ce qui relève de la morale. Les femmes sont condamnées dès la naissance à jouer le rôle de citoyen de seconde classe tout en ayant la responsabilité principale du maintien de la cohésion sociale. Dès lors comment peuvent-elles acquérir dignité et respect pour elles-mêmes? Comment des sentiments de culpabilité peuvent-ils être remplacés par un sens d'amour propre? Pour de nombreuses femmes ces contradictions entre leur rôle et leur statut et le dilemme qui en résulte ont un seul remède: le **hijâb**.

4 - **Hijâb** et libération éthique

A la question de savoir comment le port du **hijâb** a changé leurs rapports avec autrui, la plupart des femmes répondent qu'elles ont "acquis plus de respect de la part des hommes et des femmes et plus de respect pour elles-mêmes". Ce besoin d'être respectée est fondamental pour Habiba: "depuis que je porte le **hijâb**, les hommes me laissent tranquille dans la rue."

L'idée qui dit que pour d'être respectées les femmes doivent se couvrir, est ancrée dans la notion traditionnelle d'espace, et dans les différences fondamentales entre hommes et femmes. Il est vrai que la plupart des femmes interrogées estiment que les hommes devraient également respecter un code vestimentaire - être couverts du nombril aux genoux - mais elles n'insistent pas moins sur le fait qu'hommes et femmes ne doivent pas être comparés. A cet égard Aïcha note: "regarde dans la rue, ce sont les hommes qui essaient de draguer les femmes, pas l'inverse!"

Etant donné que toute tentative de mettre sa beauté en valeur revient à remettre en cause l'ordre social, une femme portant le **hijâb** doit éviter de porter bijoux ou maquillage en public. Une femme peut cependant se faire belle pour son mari, elle y est même encouragée, mais seulement dans l'intimité du foyer. Souad explique: "j'ai des amis, une femme et son mari, quand elle est à la maison elle met n'importe quoi. Elle porte même le type d'écharpe que les bonnes portent. Mais quand elle sort, elle passe une demi-heure devant le miroir pour se faire belle. Pour qui est-ce qu'elle fait cela ? Pour les hommes dans la rue?"

Ainsi, le seul moyen pour ces femmes d'obtenir un peu de dignité est soit de rester dans l'espace privé féminin, soit de porter le **hijâb** dont la fonction première est de transposer cet espace privé à l'extérieur, dans un contexte public. Le **hijâb** devient le moyen par lequel les femmes prennent en charge leur responsabilité morale qu'elles assument de manière exclusive dans l'ordre musulman. Porter le **hijâb** représente une certaine pureté d'intention et de comportement. C'est une manière symbolique d'affirmer que "je suis propre... non disponible... pure". Ainsi, en portant le **hijâb**, ces femmes se conforment aux exigences de la société. C'est parce qu'elles ne remettent pas en cause ces exigences qu'elles obtiennent en retour d'être respectées par la société. Dans une société où la question morale est omniprésente, l'acquisition de l'honneur permet d'accéder, même de façon symbolique, au pouvoir. Cela s'accompagne tout naturellement par une plus grande mobilité pour la femme. "Lorsque je porte le **hijâb**," remarque Fatima, "je peux faire tout ce que je veux; aller à l'université, faire du shopping, et être avec mes camarades de classes." Layla renforce l'idée: "maintenant que je porte le **hijâb**, mon père ne s'inquiète plus quand je sors."

Le **hijâb** libère ainsi les femmes de l'autorité parentale et leur permet de s'aventurer là où elles n'iraient pas sans protection. Il atténue également le sentiment de jalousie du mari et endort sa méfiance. Si sa femme sort voilée, elle ne sera pas harcelée par les hommes et son honneur est sauf. Il est remarquable que la libération spirituelle des femmes qui portent le **hijâb** s'accompagne d'une libération proprement physique. Lorsque la question de l'interprétation du Coran en fonction de son contexte historique est soulevée, la réponse commune est que "ce qui a été écrit à cette époque reste valable" ou que " l'Islam s'applique à tous les pays et à toutes les époques." Habiba s'étend un peu plus sur ce sujet: "L'évolution qui a pris place au cours des années (quatorze siècles) n'a affecté les choses qu'à un niveau superficiel. L'être humain est resté le même, avec les mêmes besoins et les mêmes angoisses. L'homme reste l'homme. Il a toujours besoin de stabilité et de sécurité. Toutes les évolutions qui se sont déroulées sur d'autres plans n'y changent rien. L'homme reste l'homme".

Aux prises avec les impératifs d'une société qui assigne à la femme la charge du maintien de la cohésion sociale et morale, donc du maintien des traditions et de l'ordre établi, il semble que le **hijâb**, symbole visuel de ce rôle, représente sans doute l'ultime moyen de libération de la femme, à l'intérieur même des limites imposées par ces impératifs sociaux.

5 - Conclusion

Alors que d'un point de vue occidental, le **hijâb** est perçu comme limitant la liberté de mouvement des femmes, pour la plupart des femmes interviewées, il procure un sentiment de sécurité physique et émotionnelle, d'appartenance à un groupe, ainsi qu'un supplément d'amour propre. Dans une société qui paie encore les conséquences d'un passé colonial et qui est soumise aux mutations du monde moderne, le port du **hijâb** devient un symbole de stabilité susceptible de contenir, à défaut de maîtriser, le flot incontrôlable du changement. Le Maroc se trouve à la croisée des chemins, déchiré entre les valeurs traditionnelles héritées de l'Islam Sunnite et un modernisme occidental qui tend à imposer un credo laïque et matérialiste. Les femmes en **hijâb** revendiquent une identité islamique authentique, en harmonie avec leur héritage musulman et débarrassée du matérialisme et des valeurs occidentales. Elles demandent une pratique sincère de l'Islam, une pratique basée sur des normes culturelles locales et sur les valeurs inhérentes à l'Islam.

Lorsque les femmes portent le **hijâb** elles gagnent le respect de la gente masculine et accroissent considérablement leur liberté de mouvement. Ainsi, le voile, qui est si souvent perçu comme un instrument d'oppression de la femme, revêt un caractère libérateur, permettant à la femme non seulement l'accès, mais encore un rôle de participation active, à des domaines de l'espace public, traditionnellement inaccessibles. L'envers de la médaille est que ce choix s'opère dans les limites d'un cadre défini par une perception purement masculine, voire misogyne, de la femme et de son rôle dans la société musulmane. Il s'agit donc d'une réaction conditionnée qui n'a de légitimité qu'à l'intérieur de normes établies par les hommes pour les femmes. L'ultime question reste de savoir s'il existe une liberté dépourvue de contraintes; sinon, dans quelle mesure ces contraintes peuvent-elles être établies par des femmes?

Le port du **hijâb** revêt une signification ambiguë; il procure dignité et amour propre aux femmes qui le portent ainsi qu'un semblant de liberté, tout en perpétuant le mythe de la femme en tant que source de convoitise et de soutien pour l'homme. Cette mystique féminine nie toute notion d'évolution à travers l'histoire du rôle de la femme. Le **hijâb** isole et protège la femme des incertitudes d'un monde en mutation, il réaffirme son rôle traditionnel et lui barre l'accès à la modernité. En essence, dans la société marocaine, les femmes qui portent le **hijâb** représentent un élément majeur de permanence et de cohésion sociale dans un monde dominé par les hommes et soumis à la marée du changement.

BIBLIOGRAPHIE

Ahmed, Leila. 1992. *Women and Gender in Islam. Historical roots of a modern debate.* New Haven and London: Yale University Press. (voir surtout le chapitre: Discourse of the veil).

El Guindi, Fadwa. 1983. "A Veiled Activism." In Femmes de la Méditerranéen. *Peuples Méditerranéens.* Jan-Juin. pp 22-23.

Keddie, Nikki. 1986. "The Islamist Movement in Tunisia." *The Maghreb Review.* Vol. II.

Göçke, Muge and Balaghi, Shiva, eds. 1993, *Gender and Society in the Middle East.* Manuscript under review.

Hakiki Talhite, Fatima. 1990 "Sous le voile, les femmes." *Cahiers de l'Orient.*

Le Code Pénal Marocain. 1977. Présenté par François-Paul Blanc. Casablanca: Librairie-Papeterie Des Ecoles.

Le Coran. 1980. Trad. Régis Blanchère. Paris : Maisoneuve et Larose.

La Direction de la Statistique. *La Femme et le Travail.* 1991. Rabat, Maroc.

Le Moudawwana : *Code de statut personnel et des successions.* 1983. Maroc: Association pour la Promotion de la Recherche des Etudes Judicaires.

Mernissi, Fatima. 1987. *Beyond the Veil: Male-Female Dynamics in Modern Muslim Society.* Indiana: Indiana Univeristy Press.

Rugh, Andrea. 1986. *Reveal and Conceal: Dress in Contemporary Egypt.* New York: Syracuse University Press.

Taarji, Hind. 1990. *Les voilées de l'Islam.* Paris: Editions Balland.

The Glorious Qur'an 1987. Trans. Mohammad Pickthall. Albany: State University of New York Press.

Wikan, Unni. 1982. *Behind the Veil in Arabia: Women in Oman.* Baltimore: Johns Hopkins University Press

NOTES

1- Consulter à ce sujet l'étude menées sur *Les femmes et le travail,* par la Direction de la Statistique, 1991, Rabat, Maroc.

IDENTITE FEMININE MUSULMANE, DANS UN VILLAGE FRONTALIER HISPANO-MAROCAIN

Eva Evers ROSANDER

L'article qui suit s'appuie sur une recherche en anthropologie sociale effectuée sur le terrain, entre 1976 et 1987, par périodes de durée variable, parmi les Musulmans d'origine marocaine à Benzù, un village frontalier situé entre le Maroc et l'enclave espagnole de Ceuta[1]. L'article portera surtout sur la perception par les femmes, d'une part de la tradition (**qa`ida**, **`ada**), porteuse de connotations morales islamiques renforçant leur identité, et d'autre part du changement ou de la 'modernité', désignés dédaigneusement comme 'choses espagnoles' (**hayat nasaraniyat**) et véhiculant une morale de second rang. Ces Musulmans d'origine marocaine, qui vivent actuellement sur un sol espagnol, bien qu'étant de langue arabe, ne se considèrent ni comme Espagnols ni comme Marocains. Il préfèrent se désigner comme 'Musulmans de Ceuta'; en quelque sorte comme une 'troisième catégorie'.

'La tradition' est inconsciemment utilisée par ces gens, en particulier par les hommes, comme un moyen de renforcement de leur identité. Pour les femmes, qui se mêlent moins aux Espagnols, et s'identifient plutôt aux membres féminins de leur famille marocaine de l'autre côté de la frontière, 'la tradition' dans le sens de **qa`ida** et **`ada** fait partie intégrante de leur vie. Pourtant, les femmes mariées ou âgées ne se contentent pas de tirer prestige, dans leurs relations à d'autres femmes musulmanes de Ceuta, de leur stricte adhésion aux traditions et coutumes; elles semblent aussi compenser l'attitude condescendante des Espagnols envers les Musulmans en se réfugiant dans les manifestations visibles de l'identité musulmane, dont elles s'enorgueillissent.

Les avantages matériels que présente la vie au Ceuta, comparée à celle de la campagne marocaine environnante, constituent également une source

105

de satisfaction et de fierté pour les Musulmans de Ceuta, même si l'on est réticent à le reconnaître en public, surtout au contact des Espagnols. 'Le changement' dans le sens de 'la modernité', est rejeté en public, en accord avec l'idéologie musulmane prévalante, alors que la soif de consommation pour la grande variété des produits occidentaux offerts à Ceuta est partagée à la fois par les Espagnols et les Musulmans.

A travers cet article, je souhaiterais apporter une contribution aux connaissances sur le monde hispano-marocain, tout comme à la perception par les Musulmans de leur propre identité et de leurs représentations de la tradition et du changement. En donnant un exemple tiré d'une minorité arabo-musulmane, vivant dans un contexte hispano-européen, sur le sol d'Afrique du Nord, à quelque minutes à pied des régions rurales marocaines, j'espère aussi évoquer des questions d'un intérêt plus vaste. L'une de ces questions pourrait être: existe-t-il une 'identité féminine musulmane', et dans ce cas, comment est-elle revendiquée, d'une part par rapport à la tradition et au changement et d'autre part par rapport aux différentes catégories de personnes que la femme musulmane rencontre dans une société pluri-culturelle?

1 - Arrière-plan

L'enclave de Ceuta comprend une ville, également nommée Ceuta, une montagne, le Hacho, et un arrière-pays en partie très rocheux. Au flanc des collines et tout au long des petites bandes côtières s'étirent des faubourgs ressemblant à des villages; parmi ceux-ci, Benzù. Par la suite je ferai la distinction entre Benzù (le village, qui est administrativement une *barriada*, un district de Ceuta), Ceuta (la ville) et l'enclave de Ceuta.

L'isthme de Ceuta ne couvre qu'une superficie de 19 km carrés. Bordé au nord, à l'est et à l'ouest par le détroit de Gibraltar, le Ceuta est limité au sud par la qbila (tribu ou région géographique) d'Anjra, qui fait partie de la province marocaine du Jebala. Si dans la ville de Ceuta, les Musulmans sont en minorité (environ 15 000 sur une population de 60 000), en revanche les Musulmans d'origine marocaine représentent les trois quarts de la population de Benzù, et les Espagnols un quart (en 1978, on comptait 328 Musulmans pour 107 Espagnols). Toute référence aux 'gens de Benzù' dans cet article désignera ainsi les Musulmans d'origine marocaine vivant à Benzù. Quant aux Espagnols de Benzù, ils seront désignés comme tels. Une partie de la population de Benzù est originaire de villages de la qbila d'Anjra. Nombreux sont les habitants qui ont gardé un contact étroit avec les membres de leur famille restés dans la campagne marocaine. Les gens de la tribu d'Anjra sont des Musulmans de langue arabe, bien qu'à l'origine Berbères parlant un dialecte berbère. L'arabisation de la première heure (fin du 8ème siècle) a effacé presque toute trace de leur langue d'origine.

Lorsqu'en 1911, le nord du Maroc devint Protectorat espagnol les frontières s'ouvrirent entre l'enclave de Ceuta, territoire espagnol, et le nord du Maroc, et des Marocains à la recherche de travail s'installèrent à Ceuta. De nombreux Espagnols se rendirent au Maroc pour travailler comme fonctionnaires, militaires ou *colonos*, agriculteurs. L'année 1956 voit la fin du protectorat espagnol. En grande majorité, les immigrés marocains vont rester à Ceuta. Les soldats marocains et d'autres catégories ayant collaboré avec les Espagnols s'installeront dans la ville de Ceuta et ses faubourgs.

Habiter Benzù présente à l'époque de nombreux avantages par rapport au Maroc: la proximité de la ville et du port de Ceuta, avec leurs opportunités commerciales, et un marché du travail relativement avantageux. Comme résidant à Ceuta ou bien en épousant un résidant, un immigré marocain bénéficie d'une carte d'identité permettant de se rendre au Maroc et dans la péninsule espagnole. Cependant, pour pouvoir franchir le détroit de Gibraltar en direction de l'Espagne, il lui faut également posséder un *alvaconducto*, document établi pour une durée d'un an. En effet, la majorité des Musulmans vivant à Benzù et à Ceuta vont rester apatrides jusqu'en 1985 [2], très peu d'immigrés musulmans de l'enclave de Ceuta possédant un passeport marocain, et à Benzù, seule une minorité d'entre eux ayant un passeport espagnol.

Deux systèmes de valeurs, définissant le comportement masculin méritoire, coexistent à Benzù vers la fin des années 1970 et le début des années 1980. Le premier, que l'on commence à l'époque à considérer comme un peu démodé, est orienté vers l'Espagne; l'autre est plus explicitement orienté vers le Maroc et l'Islam. On trouve dans l'un et l'autre modèle un grand attachement à ce que les femmes fassent montrer un comportement modeste et décent, en particulier les épouses, mais aussi les soeurs et les filles. A Benzù, la respectabilité de la femme contribue de façon décisive à la construction et au maintien de la réputation de la famille, dont le chef officiel est l'homme.

Durant les années suivantes, Benzù connaît une prospérité grandissante, découlant de la contrebande et du développement général de l'économie espagnole, et les tendances islamisantes vont prendre une importance croissante. A Benzù, dans les années 1978 1987, la course au prestige se manifeste dans trois domaines: `la tradition' (augmentation de la dot (**sdâq**), grands mariages coûteux), la religion (mode de vie religieux, donations à la mosquée, pèlerinages) et le progrès matériel (voitures, télévisions en couleurs, magnétoscopes, caméras vidéo, remise en état des maisons, cuisines modernes).

Légitimer la richesse en termes religieux est un phénomène familier à qui étudie le Christianisme et l'Islam (Weber 1958, Maher 1974, Eickelman 1976). Et pourtant, dans les années 1980 à Benzù, la génération des hommes d'un certain âge n'est pas très à l'aise avec cette tournure des événements. Certains d'entre eux sont de vieux ouvriers en bâtiment, employés durant un demi siècle par les Espagnols avec un salaire mensuel ou hebdomadaire. Ils voient subitement les 'nouveaux venus' de la **qbila**, sans expérience professionnelle, tirer des revenus importants d'une activité d'achat et de revente. Personne ne les critique ouvertement; bien au contraire, ils sont respectés pour leur attitude religieuse et leur mode de vie traditionnel. Cependant, les anciens ne voient pas ce développement d'un trop bon oeil. Comme me l'a dit, en 1985, un des vieux de Benzù: "Ces religieux nous laissent à la traîne".

2 - L'espace féminin à Benzù

Les hommes marocains considèrent avantageux de se marier et de s'installer à Benzù pour commercer et trouver un emploi, ce qui convient aussi aux mères de Benzù ayant des filles à marier, qu'elles souhaitent voir s'installer le plus près possible de la maison parentale. Ce modèle d'installation néolocal, de proximité parentale, présente de nombreux avantages pour les femmes, tel qu'un réseau féminin familial fort et loyal. La fille garde ainsi sa mère et ses soeurs dans son proche entourage, garantissant à la jeune mariée que son mari ne la maltraitera pas ou ne l'empêchera pas de voir sa famille. Un homme qui s'installe seul à Benzù en vue du mariage est plus dépendant de sa belle-famille et se trouve dans l'obligation de respecter la famille de sa femme bien plus que s'il vivait dans sa propre famille.

Les femmes de Benzù profitent de la proximité de la campagne marocaine et passent la frontière pour voir les membres de leur famille. Elles grimpent dans la colline vers le village éparpillé de Beliunich à l'occasion des mariages, des 'baptêmes', des circoncisions, des arrivées ou des départs de pèlerins, ou des enterrements. Parfois elles vont voir une parente malade. L'échange d'informations entre le Ceuta urbain et la campagne marocaine est important et les femmes de Benzù constituent un maillon primordial dans cette chaîne de communication. Les femmes prennent le car pour Ceuta, pour aller voir le médecin ou se rendre à l'hôpital, acheter des médicaments, aller au marché, à la **kubba** ou consulter la voyante. Certaines femmes activent ce réseau féminin en s'invitant dans leur famille à Ceuta à l'occasion de rites de passage.

Les maisons de Benzù sont concentrées, et forment un pâté de murs blancs chaulés, couronné d'antennes de télévision. Le long de la route traversant le village, on retrouve quelques épiceries, deux salons de thé, quelques bars et les maisons des Espagnols. Le théâtre de la rue est dominé par les hommes qui flânent seuls ou en groupe, regardant les passants ou bavardant. On les trouve aussi dans les salons de thé. Les femmes font leur apparition dans la rue, la tête et le corps enveloppés dans un châle ou une étoffe. Elles s'arrêtent rarement dans la rue pour regarder ce qui s'y passe, mais parcourent furtivement le chemin de leur maison à telle autre maison ou à telle boutique, pour faire un achat, vrai ou faux. Une fois arrivées, elles restent un long moment à bavarder avec d'autres clients ou avec les gens de la famille et les voisines à qui elles ont rendu visite. Les maisons, les cours intérieures et les cheminements étroits entre les maisons ne sont pas visibles de la rue. Les voisines communiquent en s'appelant par les terrasses des toits ou par les portillons des murs qui entourent les cours.

La matinée se passe à vaquer aux tâches domestiques dans la maison. L'après-midi, les femmes se rendent visite. Les hommes passent le moins de temps possible à la maison, se contentant d'y manger, d'y regarder la télévision ou d'y dormir. Le code culturel de la réclusion `purda' de la femme veut qu'elle reste à la maison le plus possible. La réclusion à Benzù ne signifie pas cependant que la femme devrait rester à l'intérieur de la maison. Dans la pratique, le territoire individuel féminin comprend le quartier dans lequel elle évolue. De plus, le degré d'isolement dépend de l'âge de la femme et de son statut social.

La vie sociale féminine est favorisée par le plan du village, résultat d'un long développement spontané et dont le premier facteur est le manque de terrain. Toutes les ouvertures des maisons - fenêtres, terrasses, cours et portillons - facilitent la communication, et les distances sont courtes. Equipée des jumelles de son mari, une femme peut de sa terrasse étudier les faits et gestes d'une grande partie du village.

3 - Espagnols et Musulmans d'origine marocaine : hommes et femmes

Ceuta n'est pas une colonie et ne l'a jamais été: c'est une enclave espagnole, une ville et son arrière-pays, habités par une majorité de citoyens espagnols et une minorité d'immigrés marocains des première, seconde et troisième générations. Cependant l'attitude des Espagnols envers les Musulmans est colonialiste. Comme tous les colonisateurs, ils sont fiers des institutions de leur pays, participent activement à la construction du présent et font des projets pour l'avenir. Les Musulmans de Benzù n'ont pas cette foi naturelle dans le présent et dans un avenir qui les concernerait. Ils se singularisent plutôt en se polarisant sur une tradition religieuse formelle (Memmi 1965:99, Mernissi 1987:23-24).

L'intérêt grandissant des Musulmans de Benzù pour l'Islam dans les années 1970 doit être considéré à la fois comme un signe du renouveau général de l'Islam dans tout le Proche Orient, à la lumière des idées racistes espagnoles, et comme un besoin pour les Musulmans de Benzù et du Ceuta d'affirmer plus énergiquement leur identité. La religion, avec ses manifestations collectives régulières, offre un refuge et confère une dignité à l'individu tout comme au groupe. Elle permet aux Musulmans de Ceuta de se démarquer plus nettement du groupe espagnol dominant dans l'enclave, et de souligner leur ressemblance avec les Marocains, en tant que Musulmans. Les gens de Benzù ne se considèrent ni comme Espagnols ni comme Marocains: ils veulent être reconnus comme Musulmans de Benzù, ce qui est une façon de défendre leur dignité dans leurs relations avec les Marocains, d'éviter d'être accusés de vivre en relation trop étroite avec les Chrétiens-Espagnols et d'être méprisés pour trop leur ressembler. Adhérer à une religion est aussi un acte de confirmation de soi, un moyen de sauvegarder la conscience collective sans laquelle un peuple cesse rapidement d'exister.

La famille constitue un fondement primordial pour l'identité musulmane. C'est pourquoi les idées qui font de la femme mariée le pourvoyeur de la famille, à égalité économique avec l'homme, la non-réclusion de la femme, ou même une atténuation de la ségrégation des sexes, sont considérés comme des inventions espagnoles ou non-musulmanes menaçant la cohésion familiale, contre lesquelles on s'oppose activement à Benzù, en soulignant l'importance de la loi et des valeurs traditionnelles. Plutôt que d'essayer des modèles nouveaux fondés sur d'autres structures que la famille et la religion, l'homme de Benzù continue à lier son identité à son rôle d'homme, de père et de mari musulman. Il s'ensuit une exacerbation de son identité musulmane par rapport à l'Espagnol, identité qu'il atténue ou affirme quand il se trouve au Maroc, en fonction des circonstances.

La maison, la femme, les enfants et la religion renforcent la conception du moi social de l'homme. Les femmes mariées ont moins de contacts avec les Espagnols, étant plus que les hommes confinées à la maison. Le style de vie féminin constitue pour les hommes un correctif quotidien et un antidote contre une trop grande influence espagnole.

Dans une certaine mesure, l'homme musulman compense la frustration qu'il vit dans ses relations avec les Espagnols par l'affirmation de la position subordonnée de sa femmes dans les domaines officiels ou publics. La femme musulmane de Benzù symbolise un mode de vie qui diffère du mode de vie espagnol, à la fois dans la relation avec les Espagnols et dans la relation avec l'homme musulman. Pour les Espagnols, elle symbolise la singularité, alors qu'elle confirme les hommes musulmans dans leur supériorité dans la hiérarchie des sexes, au sein d'un univers ethnique et religieux commun.

De nombreux sociologues ont attiré l'attention sur la femme dans l'Afrique du Nord comme symbole de l'identité musulmane des hommes pendant l'époque colonialiste (Berque 1960, Boudhiba 1975, Vinogradov 1973). Les conséquences de la colonisation française de l'Algérie et du Maroc ont été désastreuses pour la fierté masculine et l'identité musulmane, d'après Vinogradov (1973). Les Marocains ont réagi en protégeant ce qu'ils considéraient, en tant qu'Arabes-Musulmans-Marocains, comme le plus sacré: la famille, la religion et la langue. Ils ont insisté sur le port du voile, la réclusion générale de la femme et ont proclamé le strict respect du jeûne pendant le Ramadan (Ibid: 194).

Cependant les comportements qui avaient paru inchangés en surface se voyaient dotés de significations et de fonctions différentes par les colonisés. Rapidement, ils devenaient des manifestations politiques contre lesquelles les colonisateurs allaient réagir violemment. Le voile et la **sheshiya** (la toque des hommes algériens et marocains) devaient véhiculer des messages différents pendant les époques précoloniale et coloniale.

Bourdieu distingue ce qu'il appelle 'le traditionalisme colonial' du 'traditionalisme traditionnel' (Bourdieu cité par Vinogradov 1973:195). Le traditionalisme colonial était une protestation; il était révolutionnaire et agressif, chargé de symboles comme le voile ou la **sheshiya**, servant la lutte pour la libération. 'Le traditionalisme traditionnel' qui dominait avant le colonialisme français en Afrique du Nord, peut être attribué à un accomplissement de normes qui n'étaient ni mises en question ni confrontées à des idées contradictoires. Peut-être la dimension temporelle de 'la tradition' comme quelque chose appartenant au passé et répétée dans le présent (Hobsbawn 1983), était-elle étrangère à la société antérieure 'traditionnelle' plus homogène. Dans le contexte précolonial, les traditions et les coutumes locales peuvent avoir été peu significatives sur un plan émotionnel ou politique.

Dans le Benzù des années 1970 le 'traditionalisme du post-Protectorat' était différent de celui du Maroc pour plusieurs raisons. Les Marocains involontairement colonisés vivaient sur leurs propres terres, dans leur pays, 'protégés' et colonisés par une nation étrangère. Les Musulmans de Benzù vivaient (et vivent toujours) sur une terre espagnole en Afrique du Nord. Les coutumes et traditions marocaines-arabes-musulmanes se manifestaient avec des degrés variés de conscience et avec une 'signification' variable en fonction des situations. L'identité marocaine par rapport aux Espagnols était affirmée avec plus de circonspection et de flexibilité que ne le montraient les Marocains envers les intrus français. Les Musulmans de Benzù étaient obligés de prendre en considération et de gérer l'attitude espagnole omniprésente à l'égard de leur groupe: "Si tu es *moro* (Marocain ou Musulman en espagnol) pourquoi tu ne retournes pas chez toi au Maroc?" Le 'traditionalisme' avait ainsi perdu la majeure partie de ses caractéristiques spontanées et authentiques pour prendre un air quelque peu folklorique.

Il existe certains parallèles entre les relations entre l'homme musulman et la femme musulmane de Benzù d'une part, et les relations entre Espagnols et Musulmans d'autre part. Hors de son domicile, l'homme musulman est le client, le subordonné, celui qui obéit aux ordres de son employeur espagnol. A la maison cependant, il est le patron, le chef, l'autorité qui ne peut être mise en question par la femme. Dans les deux cas, patrons et supérieurs justifient leur droit et leur devoir d'exercer le pouvoir et leur autorité en alléguant la 'nature' de leurs inférieurs comme étant déterminée biologiquement. Si les Espagnols considèrent que les Musulmans (hommes inclus) sont irresponsables et non fiables, les hommes musulmans ont la même opinion de leurs propres femmes. Ainsi, attribuent-ils des qualités biologiques et métaphysiques à des aspects purement sociologiques concernant des relations d'inégalité.

Les femmes musulmanes sont donc aux hommes musulmans ce que les Musulmans sont aux Espagnols; ainsi l'interdépendance et les tensions entre Musulmans et Musulmanes et entre Espagnols et Musulmans apparaissent plus clairement. L'exercice du pouvoir par un groupe dominant dépend de l'existence d'un groupe dominé. L'idéologie dominante confirme la position de supériorité des Musulmans par rapport aux Musulmanes et des Espagnols par rapport aux Musulmans [3].

Cependant, il ne faudrait pas exagérer ce parallèle. Les Musulmans ne font pas preuve de racisme, mais d'un sexisme autocentré légitimé par la tradition et la culture, lorsqu'ils affirment que les femmes sont irresponsables, fausses et sans `aql (raison), qualité qu'ils attribuent surtout aux hommes. Ils ne souhaitent pas non plus voir leurs femmes quitter Ceuta parce que la présence des femmes constituerait pour eux une menace, à l'image de ce que les Espagnols souhaiteraient des Musulmans. Pourtant les hommes musulmans montrent le même paternalisme que les Espagnols par des attitudes qui traduisent l'oppression masculine vis-à-vis des femmes, en référence à un système de valeurs et à une loi (sharî`a) auxquels on conférerait un statut métaphysique et religieux. A Ceuta, les Espagnols considèrent que les Musulmans ne sont pas aptes à s'occuper de la communauté, et pareillement les Musulmans ne permettent pas à leurs femmes de prendre des décisions formelles ou de représenter la famille dans des affaires juridiques.

4 - Tradition à Benzù: qa`ida et `ada

Les femmes de Benzù sont très concernées par la tradition et s'y réfèrent souvent, même si elles ne sont pas sûres de son 'vrai' contenu consacré par l'usage et de son 'vrai' champ d'application. De nombreuses femmes se plaignent d'avoir des connaissances insuffisantes de la langue arabe, du dogme islamique et des 'traditions' développées et établies par l'Islam **sunni**, l'école de droit **mâlikî** et la pratique religieuse marocaine.

Comparées aux hommes, les femmes ont conservé une attitude moins compliquée envers la tradition. Leur incertitude devant la 'tradition' ne diffère pas beaucoup de celle de leurs soeurs marocaines au delà de la frontière. Elle concerne les formalités et résulte de la 'domestication' de leurs pratiques religieuses. A la mosquée, les hommes ont accès à la connaissance religieuse et aux conseils, ce qui n'est pas le cas des femmes. De plus, la plupart des femmes sont illettrées. De nombreux hommes qui lisent l'arabe avec difficulté ont cependant la possibilité d'écouter les cours du **fqih** (enseignant du Coran) à la mosquée.

Les femmes de Benzù n'ont jamais entretenu de contacts étroits avec les Espagnols à l'extérieur de Benzù, du fait de la ségrégation des sexes et de leur propre mobilité restreinte. Ainsi, ces femmes ne conceptualisent pas principalement ou nécessairement la tradition et les coutumes locales dans une perspective temporelle. Elles rattachent plutôt la tradition à la campagne (**qbila**) ou à la ville (médina). Et elles ne se démarquent pas non plus elles-mêmes des coutumes locales arabes/musulmanes, comme le font certains hommes de Benzù, surtout influencés par les Espagnols. L'attitude des hommes de Benzù envers certaines pratiques religieuses telles que l'exorcisme en constitue un exemple: leurs réactions varient entre l'aliénation, le scepticisme, le ridicule et l'amusement.

Les femmes cependant ne mettent pas en doute les pratiques religieuses populaires ou la justesse de leur célébration. Pour les hommes, tout ce qui concerne les coutumes locales est du domaine des femmes. Pourtant les femmes ne sont pas totalement insensibles aux hésitations et aux interrogations de leurs maris et de leurs fils quant au recours et à la rationalité de quelques croyances et pratiques traditionnelles.

Qa`ida** est un concept que les femmes traduisent en espagnol indistinctement par *'religión'* et *'tradición'*. Ainsi dans la conception des Musulmans de Benzù, la **qa`ida a clairement des connotations religieuses. Elle est supposée fondée sur la loi islamique, si ce n'est identique à elle (cf. Eickelman 1976:131). Les fêtes religieuses sont célébrées selon la tradition jusque dans les détails: par exemple les plats préparés avec l'animal sacrifié, la façon de procéder avec les restes de nourriture comme le couscous etc.; les règles culturelles sur les manières traditionnelles de s'habiller sont **qa`ida**. La réponse d'une femme à la question d'un Espagnol demandant pourquoi elle porte le voile en constitue un exemple: "*Es por la religión*" ("C'est à cause de la religion.") En arabe, la même femme aurait répondu: "**hada qa`ida diyalna**", ("c'est notre tradition.")

Les femmes de Benzù considèrent que la religion prescrit le port du voile à travers la **qa`ida,** tandis que des femmes d'autres parties du monde islamique peuvent ne pas être de cet avis. La prière ou le jeûne pendant le Ramadan suivent des règles détaillées en accord avec la **qa`ida**. Les innovations en matière de coutumes ou de rituels locaux deviennent rapidement la **qa`ida** ou sont interprétées comme relevant de la **qa`ida.** Les rituels de mariage et les pèlerinages sont désignés comme étant accomplis en accord avec la **qa`ida**. Le professeur coranique de Benzù, le **fqih**, est souvent consulté par les femmes pour des questions concernant la tradition religieuse.

L'`**ada** désigne la coutume locale et peut être considérée comme sanctionnée par la religion. Dans certains contextes il serait mieux de la désigner par 'habitude', comprenant des coutumes concrètes, extensives et 'folkloriques'. Les gens se réfèrent aux deux concepts (**qa`ida** et `**ada**) comme à quelque chose les séparant définitivement des Espagnols. Parfois ces références servent à articuler une identité partagée dans le groupe musulman. `**Ada** en particulier, la coutume ou l'habitude locale, est employée par les femmes comme explication ou défense face aux attaques des Espagnols contre l'apparence et le comportement des femmes musulmanes d'origine marocaine.

Pour citer un cas, j'ai entendu un policier espagnol narguer une vieille *mora* (femme musulmane) en lui demandant si c'était parce qu'elle était frileuse qu'elle portait tant de vêtements: jupes longues et **mendîl** (lambeaux de tissus). Lorsqu'il continuait à la critiquer et à la tracasser pour les longueurs de tissus dont elle s'était enveloppé la tête, j'ai entendu la vieille femme embarrassée murmurer en espagnol: "*Es costumbre nuestro*" ("C'est une coutume chez nous"); en arabe elle aurait dit: "**hada `ada diyalna**".

Les femmes de Benzù considèrent qu'elles sont distinctes des Espagnols, mais apparentées aux autres Musulmans de Benzù en termes 'traditionnels'. Cela veut dire se comporter selon les codes culturels de la ségrégation des sexes et de la réclusion, et pratiquer un style de vie 'traditionnel' et pieux. D'où les robes longues traditionnelles, les manteaux longs et les voiles des femmes mariées. L'insistance explicite sur la pauvreté des Musulmans de Benzù par rapport aux Espagnols et les références faites à un esprit communautaire égalitaire spécifique aux Musulmans de Benzù sont partie intégrante de la présentation culturelle de l'identité féminine locale. Et en même temps les femmes incorporent de façon continue les 'modernités' qu'elles perçoivent comme espagnoles.

Les moyens contraceptifs constituent un exemple intéressant. Les femmes disent qu'elles veulent avoir quatre enfants ou au moins plus d'enfants que les Espagnols, dont l'idéal s'arrête à deux enfants. Mais elles subissent en même temps la pression des attitudes négatives espagnoles à l'encontre des familles nombreuses marocaines. Ainsi une fois arrivées au nombre d'enfants désiré, les femmes écoutent les conseils du médecin espagnol et prennent la pilule. Cependant elles ne l'admettraient jamais en public, puisque prendre la pilule est considéré du point de vue de la religion comme un mal et un péché. Surprise avec la pilule, une femme dirait que le médecin la lui a prescrite puisqu'il est dangereux pour elle d'être enceinte. Certaines femmes m'ont raconté qu'elles prenaient la pilule pour grossir, et ainsi n'être pas abandonnées par leurs maris. Elles expliquaient que prendre la pilule n'était pas un péché tant que l'intention était de grossir, et non pas d'éviter d'avoir des enfants.

Lorsque les femmes de Benzù se rendent au Maroc, elles se sentent incertaines de leur compétence en ce qui concerne à la fois la langue arabe, le dogme et 'la tradition' islamique. Vis-à-vis des femmes marocaines autres, les femmes de Benzù exhibent leurs ressources économiques relativement plus importantes. Elles veulent démontrer qu'elles 'sont gagnantes' par rapport aux femmes marocaines, sur le plan matériel. Ainsi c'est plutôt la concurrence que l'égalité qui est soulignée dans l'interaction avec les Marocains. Du point de vue des femmes de Benzù, ce comportement est tout à fait logique: elles veulent affirmer l'égalité qui existe à Benzù, où la plupart d'entre elles sont pauvres par rapport aux Espagnols. D'ailleurs, elles craignent qu'un nombre grandissant de Musulmans ne deviennent plus riches qu'elles. Au Maroc elles oublient l'égalité: elles y apparaissent comme riches.

Ainsi, tandis que la femme de Benzù tire un certain prestige féminin de la mise en avant d'un moi 'traditionnel', des éléments de la culture hispano-occidentale sont constamment incorporés dans la 'tradition'. La femme n'est pas seulement l'actrice symbolique et gardienne de la tradition, elle en est également la 'bricoleuse', c'est-à-dire qu'elle crée des combinaisons nouvelles avec les idées qu'elle a à portée de la main et qui paraissent convenir à ses besoins. (Creyghton 1981:151).

5 - Inflation de la tradition

La relation des femmes avec l'Espagne et le Maroc ainsi qu'avec la 'tradition' exprimée comme **qaʿida** et **ʿada**, revêt un intérêt particulier à une époque de grands changements politiques et économiques. Le boom économique de la région, qui entraîne une différenciation accrue sur le plan social et financier, se manifeste non seulement en termes économiques, mais aussi en termes de religion et de morale. C'est cette tendance que je qualifie d'"'inflation de la tradition".

La hausse inflationniste dans le débat à Benzù sur ce qui est moralement 'bon' et 'mauvais', débat auquel les femmes prennent volontiers part, mérite quelques réflexions. Le renchérissement dans la concurrence pour le prestige implique une concurrence dans le domaine de la respectabilité qui favorise une présentation de soi et une création d'apparences, combinées avec une dissimulation des vices (cf. Ball 1970:347). Cette tendance est liée à un développement des revenus et à une plus grande mobilité géographique occasionnant également une mobilité sociale. Des personnes venant de différentes localités du Maroc et de l'enclave de Ceuta, récemment émigrées à Benzù, contribuent à générer ces nouveaux processus de hiérarchisation.

Aujourd'hui, les normes morales sont liées au statut social. La respectabilité et le niveau économique comme moyens de parvenir à une position prestigieuse, ont dans la pratique remplacé les idées culturelles traditionnelles sur la hiérarchie. A l'origine des idées anciennes, on trouvait une conception donnant à des hommes de rang égal, un devoir et un droit égaux pour tester et manifester leur honneur par rapport à la vertu ou à la perte de la vertu des femmes de leur famille. Autrefois, seules quelques rares familles étaient véritablement prestigieuses: les familles **shurfa** (pluriel de **sherîf**, descendant du Prophète).

Aujourd'hui, lorsque la compétition pour le prestige est devenue plus générale, elle développe aussi une tendance à l'escalade. Et simultanément les parvenus sont dépourvus de la **baraka**, la bénédiction des hommes saints qui étaient ou qui sont **shurfa**. Selon les anciens, c'est la combinaison de la sainteté, de l'opulence et du pouvoir qui confère du prestige à un homme. C'est sous cet angle qu'il faut considérer le nombre accru des personnes qui se rendent à la Mecque en pèlerinage: la religion moralise l'argent, surtout pour les non-**shurfa** qui nourrissent des ambitions sociales.

A Benzù, l'honneur des hommes est défendu par les histoires que racontent les femmes, dans des récits et dans des débats sur la morale. Ainsi 'la justice vengeresse' exercée autrefois par la querelle et le recours aux armes, n'est plus aujourd'hui entre les mains des hommes (cf Creyghton 1981:90). La parole de la femme a largement remplacé l'action de l'homme. La conversation des femmes forme la réalité sociale des hommes et des femmes, dans un effort commun pour éviter de perdre la face et pour perpétuer des idées conventionnelles sur les comportements normatifs masculin et féminin. Ainsi l'homme dépend-il de la femme plus aujourd'hui qu'autrefois. L'honneur des hommes, c'est-à-dire leur réputation morale, ne peut être testée ou défendue dans l'espace public masculin, mais en privé et dans l'espace public féminin, à travers les débats moraux que tiennent les femmes. C'est la femme plutôt que l'homme qui maintient et gère le système de valeurs morales.

Ce système a ainsi été modifié par des données matérielles nouvelles, par exemple les possibilités qu'offrent aujourd'hui les moyens de communication. Ainsi l'accès des femmes aux transports en commun a considérablement élargi les frontières de leur monde physique en leur donnant la possibilité de participer aux fêtes de mariage et de 'baptême' des autres femmes. Les rites de passage, qui se déroulaient en dehors de Benzù et de Beliunich, le village marocain voisin, étaient autrefois considérés comme trop éloignés pour que les femmes s'y rendent. Aujourd'hui en revanche, les fêtes à Ceuta, dans ses faubourgs et même dans des localités voisines du Maroc sont facilement accessibles en car ou en taxi collectif.

Cette mobilité accrue engendre la diffusion des ragots et des médisances dans la région. Le réseau des femmes s'élargit, les invitées deviennent plus nombreuses et ne sont plus seulement les voisines et les membres de la famille. Aujourd'hui les femmes font connaissance au delà des critères traditionnels de parenté et de voisinage. Elles peuvent s'appeler amies, **saḥabta**, et une telle relation engendre parfois des relations de patron à client entre femmes.

Il reste aux hommes quelques signes de contrôle sur les femmes, et les représentations symboliques de ce contrôle, consistant par exemple à cacher le corps de la femme sous une ample robe longue, ont pris une importance disproportionnée. Cependant, la longue robe **(la djellab)** est porteuse de toute une série de significations symboliques. Le voile ou la **djellab** semblent avoir acquis pour les jeunes hommes mariés une valeur générale et abstraite qu'ils n'ont pas dans d'autres contextes.

L'attitude féminine 'traditionnelle' véhicule un message complexe sur l'identité masculine musulmane et sur la capacité du mari à maîtriser la sexualité de l'épouse selon la tradition. La **djellab**, avec sa capuche et son voile, n'était probablement pas porteur de ces connotations lors de son apparition à Benzù dans les années 60. Pour les femmes de Benzù de cette décennie, la **djellab**, introduit à partir de Tetouan, Tanger et Larache, était le signe d'une mode urbaine pour les classes moyennes. Au milieu des années 80, ce sont plutôt les paysannes qui portaient la longue robe et le voile pour aller en ville, tandis que les femmes de Benzù portaient une autre **djellab** sans capuche. De temps à autre on porte une **djellab** sombre avec une grande capuche, en signe de renouveau de l'Islam. A d'autres moments encore, des genres de **djellab** plus étroites et sans capuche, aux couleurs claires, sont acceptées, et même à la mode auprès des femmes mariées, sans que les maris ne s'en plaignent.

Ainsi la 'tradition' contemporaine de Benzù véhicule des symboles aux significations différentes qui varient selon les catégories d'âge, les strates sociales et la localisation : Benzù à proprement parler, la ville de Ceuta ou la campagne marocaine au delà de la frontière.

La sphère `traditionnelle' qui inclut la coutume locale (`ada) peut aujourd'hui être exploitée par les femmes de Benzù de nombreuses manières. Cette sphère peut être enrichie et utilisée pour innover au fur et à mesure que les moyens financiers se développent. La dernière mode en matière d'habillement et de bijoux 'traditionnels' marocains, et les repas plus importants lors des festivités des rites de passage ne sont pas uniquement l'expression d'un statut économique. Ils témoignent également d'un changement dans la strate sociale et constituent le franchissement d'un pas éloignant du style rural marocain pour rapprocher d'un style de vie urbain, plus prestigieux. Les femmes sont attentives à ces changements et savent s'évaluer mutuellement à la lumière de ces indicateurs.

En même temps, les femmes participent de plus en plus à la 'modernisation' de l'enclave et prennent leur part aux bénéfices de la vie moderne en leur qualité de consommatrices de biens et de développement technique occidental. Tant pour les Espagnols que pour les Musulmans, la consommation constitue la grande aspiration. Dans les années 1970, les Musulmans de Benzù achetaient d'occasion leur premier poste de télévision en noir et blanc et leur cuisinière à gaz, utilisaient des machines à laver le linge non automatiques et des lecteurs de cassettes. Dans les années 1980, ils achètent des postes de télévision en couleurs, des magnétoscopes, des caméras vidéo et des voitures. Aujourd'hui, les gens de Benzù aspirent aux mêmes biens de consommation que les Espagnols et un changement s'opère; ils quittent leur statut de classe ouvrière, selon les critères des Espagnols de Ceuta, pour aller vers les idéaux de la petite bourgeoisie.

Les femmes insistent pour rénover leur maison selon le style moderne espagnol, même si, dans la plupart des cas, les maisons gardent extérieurement leur apparence modeste. Elles veulent un aménagement de cuisine à l'espagnole avec une table de cuisine et des chaises dont on ne se sert pas: pour les repas, la famille s'assied par terre dans la pièce à vivre. La grande cuisinière à gaz comporte un four où l'on garde la vaisselle, car le pain est cuit dans le four traditionnel (**farrân**) ou dans un grand plat en argile (**meqla**) et les ragoûts (**tadjîn**) sont cuits au dessus de des récipients (**mejmâr**) posés à même le sol.

La chambre matrimoniale comporte un grand lit espagnol avec des tables de nuit, bien que par grande chaleur l'on préfère dormir par terre sur une couverture ou un tapis en peau de mouton. Une des pièces est meublée dans le style 'arabe' ou marocain: c'est une pièce de réception avec, le long des murs, des canapés bas (**mderba**), aux murs et au sol des tapis, et, devant les entrées, des rideaux.

 La mariée possède une robe de mariée espagnole qu'elle porte dans la cage nuptiale *(bonia)* et pendant la nuit de noces. Cette robe blanche est de coupe typiquement européenne, serrée à la taille avec une jupe large. Elle est portée avec un long voile blanc qui part de la tête pour couvrir les épaules et le dos. La mariée possède également un **qaftân** de mariage traditionnel, de style marocain, qu'elle porte lors de la fête de mariage que donne la mère (**dhûr**) et en d'autres occasions rituelles durant la semaine du mariage.

Ainsi le 'cadre' traditionnel arabe coexiste avec un style espagnol moderne. Il plaît aux femmes d'avoir accès à des biens marocains et espagnols. Elles apprécient également la sécurité sociale espagnole et la présence à Ceuta de médecins et de pharmaciens. L'absence d'un marché du travail qualifié et leur statut, qui implique une nationalité indéfinie, ne les gênent pas outre mesure. En effet, en tant que femmes musulmanes, mariées et respectables, elles ne sont censées ni travailler ni voyager à l'étranger (à l'exception d'un pèlerinage à la Mecque), ni prendre une part active dans les affaires de la communauté.

6 - Tradition et changement

La génération des anciens, tant à Benzù que dans la campagne marocaine voisinante, vit toute forme d'innovation comme une chose dangereuse, imprévisible et remplie de péchés, en relation avec le mot arabe de **bida`** (Mernissi 1987:13). La façon dédaigneuse dont les femmes de Benzù désignent les innovations espagnoles, 'choses espagnoles' (**ḥayat nazaraniyat**) reflète cette attitude. La tendance féminine à souligner en parole et en attitude la 'tradition', sorte de présentation d'un moi musulman respectable, constitue une autre caractéristique commune. Des deux côtés de la frontière hispano-marocaine, les gens semblent souffrir de "la maladie du présent" (Mernissi 1987:23) - les Marocains trouvant refuge dans le passé et, comme les Musulmans de Ceuta, légitimant les avantages du présent en référence à la tradition et à ses avantages moraux. La 'tradition' devient un concept élastique défini contextuellement et négocié par les gens de Benzù dans leur interaction quotidienne avec d'autres

120

Musulmans de Benzù et de Ceuta, avec des Espagnols et des Marocains. Personne ne semble savoir où sont les limites qui rendent socialement acceptable de justifier ou d'excuser ses actes par une référence à la tradition et à la coutume.

Cependant, en même temps, les Marocains et les gens de Benzù diffèrent dans leur perception de la tradition. L'influence espagnole se fait sentir sur les femmes de Benzù derrière leur longues robes et leur voile traditionnels. Les rituels sont parfois vécus comme des manifestations plus ou moins conscientes d'une identité partagée. Les rites et fêtes de mariage par exemple, paraissent folkloriques surtout aux hommes, en particulier à cause de la présence des Espagnols, spectateurs distants et pourtant intéressés. Les Espagnols viennent souvent prendre le thé et des photos à l'occasion du mariage de leur femme de ménage. Leur présence exige des frontières ethniques, pourvues par le cadre rituel. Les Musulmans de Benzù sont ainsi non pas distancés mais étrangement conscients des qualités exotiques de leur performance.

Pour les Marocains de l'autre côté de la frontière, les rituels sont moins l'expression contrastée d'une identité musulmane, et appellent également moins de moyens économiques que ceux des gens de Benzù. Leurs rites et fêtes de passage sont plus modestes. Cependant, le long de la frontière et dans les villages avoisinants de Beliunich, on peut constater la même tendance vers un investissement accru dans les coutumes locales.

Les habitants de Benzù se considèrent comme plus 'éclairés' et plus habitués à des idées espagnoles et occidentales de nature 'rationnelle', en comparaison avec les membres de leurs familles à la campagne. Il arrive par exemple que certains hommes mettent en question des cas de possession et l'exorcisme pratiqué par des confréries religieuses. La définition que les gens donnent de la **qa`ida** illustre assez bien les différences floues mais bien existantes, dans ce domaine. Pour les Marocains vivant dans le nord-ouest du Maroc, **qa`ida** signifie 'comment les choses sont' (Eickelman 1976). Les femmes de Benzù considèrent que **qa`ida** veut dire 'comment les choses devraient être', manifestant ainsi une plus grande incertitude que les Marocains que j'ai interviewés. Quelques hommes de Benzù ont répondu lorsque la question leur a été posée: "**qa`ida**, c'est comment les choses étaient mais ne sont plus".

La 'tradition' comporte un changement continuel des normes régissant le système moral. La ségrégation des sexes reste encore l'une des caractéristiques les plus frappantes de la société musulmane de Benzù;

cependant, la réclusion des femmes est appliquée moins strictement et leur mobilité s'est considérablement développée, de l'avis unanime des femmes âgées ou entre deux âges. D'après leurs dires, lorsqu'elles étaient jeunes, elles n'avaient pas le droit de quitter Benzù ou leur village de la **qbila**.

Avant le mariage, elles étaient sévèrement recluses. Pour ces femmes, le mariage entraînait, entre autres avantages, l'autorisation de se rendre à pied aux fêtes de 'baptêmes' dans les villages avoisinants. Comme elles n'allaient jamais nulle part, elles ne rencontraient ni garçons ni filles hors du cercle familial restreint. Elles se mariaient très jeunes 'sans avoir vu le visage' de leur mari avant le mariage, et n'avait pas leur mot à dire dans le choix du mari.

Les femmes jeunes de Benzù confirment que ces conditions sont toujours appliquées à leurs parentes dans les campagnes. Le mode de vie marocain est démodé, disent-elles, et pas pour nous. Elle ne veulent pas s'identifier à ce style de vie féminin. Une femme exprime ainsi ce qu'elle sent à propos du Maroc: "Nous ne sommes pas Marocains. Nous sommes Musulmans. La religion, c'est ce que nous avons de marocain".

Conclusion

Dans cet article, j'ai donné un aperçu rapide sur les femmes musulmanes d'origine marocaine, sur la tradition et le changement dans un village situé entre le Maroc et Ceuta, en territoire espagnol. La façon dont les femmes présentent un moi respectable à travers une adhésion ostensible à la 'tradition' a été soulignée comme étant un moyen de la compétition interne pour le prestige féminin. J'ai aussi insisté sur la position de la femme comme représentante féminine de l'appartenance ethnique et religieuse des hommes. Ce sont les hommes qui attribuent aux femmes le rôle de gardiennes de la tradition. Ensemble, ces facteurs contribuent à confirmer et à reproduire les idées prévalantes sur l'importance du respect de la **qa`ida** pour l'identité féminine musulmane.

Les femmes musulmanes de Benzù s'identifient d'une part à un système de valeurs morales qu'elles considèrent supérieur à celui des femmes espagnoles, et d'autre part à un statut économique meilleur que celui de la femme moyenne de la **qbila** d'Anjra voisinante. Les femmes de Benzù n'ont pas laissé derrière elles l'opinion islamique traditionnelle du rôle des sexes pour la remplacer par quelque notion 'moderne' ou hispano-européenne. Même si jeunes filles elles le souhaiteraient, elles restent tenues par les comportements reconnus, surtout à cause du contrôle social très strict qui règne à Benzù. Les véritables changements qui s'opèrent constamment se font sous une couverture traditionnelle, pour ne pas défier ou bouleverser les limites du comportement normatif reconnu.

La femme ne met pas la tradition en question: elle vit avec. Son adhésion à la tradition musulmane marque une distance culturelle dans sa relation à la femme espagnole, tandis que par rapport à la femme marocaine, elle montre une affinité et une appartenance à une identité musulmane partagée. Quant aux relations des femmes musulmanes de Benzù entre elles, leur adhésion à la tradition est une manière de gagner respect et prestige. De plus, le respect des coutumes musulmanes est l'une des composantes essentielles d'un sentiment d'appartenance partagée, sentiment vécu comme le signe de l'identité féminine musulmane à Benzù. L'identité musulmane telle que vécue par les femmes, varie ainsi selon le contexte et les circonstances, et reste surtout fortement associée à **qa`ida** et **`ada**, c'est-à-dire à la tradition, dans la rencontre de ces femmes avec les représentants de la société espagnole environnante[3].

BIBLIOGRAPHIE

Ball, W. Donald. 1970. The problematics of respectability. *In Deviance and Respectability*.: The Social Construction of Moral Meanings. New York/London: Basic Books, Inc. Publishers.

Berque, Jacques. (1960) 1982. *Los árabes de ayer y de mañana*. (Les Arabes d'hier et de demain) Mexico: Fondo de cultura Economica.

Boudhiba, Abdekwahab. 1975. *La sexualité en Islam*. Paris: Presses Universitaires de France.

Creyghton, M.L. 1981. Bad Milk: *Perceptions and Healing of a Children's Illness in a North African Society*. Thèse de doctorat non publiée. University of Amsterdam.

Eickelman, Dale F. 1976. *Moroccan Islam: Tradition and Society in a Pilgrimage Center*. Austin and London: University of Texas Press.

Evers Rosander, Eva. 1991. *Women in a borderland: Managing Muslim Identity where Morocco meets Spain*. Stockholm: Stockholm Studies in Social Anthropology.

Hobsbawn, Eric and Ranger, Terence (eds.) 1983. *The Invention of Tradition*. Cambridge & London: Cambridge University Press.

Maher, Vanessa. 1978. *Women and Property in Morocco: Their Changing Relations to the Process of Social Stratification in the Middle Atlas*. Cambridge: Cambridge University Press.

Memmi, Albert. 1965. *The Colonizer and the Colonized*. Boston: Beacon Press.

Mernissi, Fatima. 1987. *L'Harem Politique*. Paris: Albin Michel.

Munson Jr. Henry. 1984. *The House of Si Abd Allah: The Oral History of a Moroccan Family*. New Haven and London: Yale University Press.

Vinogradov, Amal. 1973. "French colonialism as reflected in the male-female interaction in Morocco". Dans *Transactions of the New York Academy of Sciences*. (Series 2), 36: 192199.

Weber, Max: 1958. (1930) 1976. *The Protestant Ethic and the Spirit of Capitalism*. London: George Allen & Unwin Ltd.

NOTES

1- Cet article comporte principalement des extraits de ma thèse de doctorat d'état en anthropologie sociale, publiée sous le titre de "Women in a Borderland, Managing Muslim Identity where Morocco Meets Spain". Stockholm: Stockholm Studies in Social Anthropology 1991.

La traduction de cet article de l'anglais est de Cecilia Monteux.

2- Les Musulmans qui étaient apatrides en 1985 allaient se trouver confrontés à une nouvelle loi espagnole sur les étrangers, *La ley de extranjería*. Cette loi stipulait que les personnes n'ayant pas la citoyenneté espagnole n'avaient pas le droit de rester à Ceuta. De nombreux Musulmans de Ceuta demandaient alors la nationalité espagnole; certains cas étaient refusés, pour des raisons obscures. D'autres voulaient rester apatrides à cause de leur religion, en particulier les femmes qui ne faisaient pas toujours la distinction entre le concept de citoyen espagnol et celui de Chrétien. La loi souleva une vague de protestations non seulement à Ceuta mais aussi, plus violemment, à Melilla, l'autre enclave espagnole au Maroc. La mise en application de la nouvelle loi fut modifiée et les Musulmans de Ceuta et de Melilla en possession d'une certaine "carte" *(tarjeta estadística)* purent résider à Ceuta et à Melilla, comme avant 1985.

3- Munson a décrit les réactions des Marocains vivant dans le Djebel du nord-ouest (près de Tanger) en interaction avec les Français. "Tous les Marocains se sentent inférieurs aux Chrétiens" disait l'un des informateurs de Munson (Munson H. 1984:112, aussi ibid: 55). C'est aussi, dans une certaine mesure le sentiment que les Musulmans de Ceuta éprouvent envers les Espagnols, particulièrement les hommes.

FORMATION TECHNIQUE SUPÉRIEURE ET TRAJECTOIRES FÉMININES EN ALGÉRIE

Sabéha BENGUERINE

*P*our être cerné dans toutes ses dimensions, le travail féminin rémunéré à l'extérieur du foyer doit être replacé dans le contexte économique, social et culturel de l'Algérie, et saisi comme un fait social qui a une histoire, des dimensions et des perspectives. L'histoire de l'Algérie nous montre que le travail féminin rémunéré à l'extérieur du foyer est un phénomène nouveau et récent. Son apparition est liée au changement profond qui affecte la société Algérienne. L'étude du modèle d'organisation de la famille et la place attribuée à la femme nous montre que les dimensions de ce phénomène sont très importantes. Il implique la femme dans un rôle nouveau et lui permet d'évoluer dans un espace autre que l'espace familial, l'espace du monde du travail qui a toujours été un espace réservé aux hommes. De ce fait il se présente comme une perturbation de l'ordre établi d'une société qui a construit ses normes et ses valeurs autour de la division sexuelle des rôles et de l'espace, comme une remise en question de cette logique de répartition de l'espace entre un "dedans" réservé aux femmes, et un "dehors" réservé aux hommes.

S'il est de plus en plus admis que les femmes exercent certaines professions qui ne rompent pas avec leurs fonctions traditionnelles (enseignement, administration, santé), qu'en est-il lorsqu'il s'agit de métiers dits "masculins", caractérisés par la compétence, l'initiative et l'autorité. Le métier d'ingénieur est un de ces métiers "masculins" préférés par et pour les hommes et nouvellement investi par les femmes. Depuis peu des femmes accèdent à ces métiers, accession liée aux besoins de l'économie en personnel d'encadrement technique, et de l'utilisation, pour répondre aux besoins de l'appareil de production mis en place de toutes les potentialités existantes (masculines aussi bien que féminines).

La création, comme réponse aux besoins de l'économie, d'instituts nationaux de formation supérieure de cadres techniques, et leur ouverture sans distinction aux personnes des deux sexes, permet de mettre sur le marché du travail des femmes dont la formation correspond aux besoins des entreprises en cadres techniques. En conséquence, on devrait assister progressivement à l'accession de ces femmes, au niveau des entreprises, à des postes traditionnellement masculins certes, mais pour lesquels elles ont été formées.

L'accession de ces femmes à ces postes, et l'exercice des tâches qui en découlent, ne vont-ils pas être entravés par des mécanismes obéissant à la logique de la division des emplois entre les sexes et qui se manifesteraient soit par une exclusion de ces femmes de l'espace professionnel, soit par un retour vers des professions plus "féminines"? Dans ce contexte nous avons réalisé une enquête en nous limitant au cas de femmes ingénieurs formées à l'Institut National des Industries Légères.

1 - Une enquête auprès des femmes-ingénieurs

Cette enquête a été réalisée auprès d'un échantillon de femmes ingénieurs formées à l'Institut National des Industries Légères (I.N.I.L.). Créé en 1973 pour répondre de manière plus efficace aux besoins de l'économie, et aux besoins du secteur des industries légères en particulier, en cadres techniques, cet institut est placé sous la tutelle administrative du ministère des industries légères, et sous la tutelle pédagogique du ministère de l'enseignement supérieur.

Il a pour objet de former des ingénieurs d'état et des techniciens supérieurs dans les différents secteurs des industries légères notamment les industries alimentaires, les industries textiles, la chimie légère, les matériaux de construction, etc. Sont admis au sein de cet institut les élèves titulaires du baccalauréat série sciences, mathématiques, et technique-mathématiques. Depuis sa création en 1973 jusqu'à l'année 1990, cet institut a formé environ 1.500 ingénieurs dont 150 femmes.

Pour réaliser notre enquête nous avons repéré et touché par questionnaire 50 femmes sorties de cet institut, entre 1983 et 1988 et avons réalisé des entretiens approfondis auprès de 20 d'entre elles. Le dépouillement des questionnaires a permis de constater que, pour une formation et un diplôme identiques, les situations professionnelles sont assez différentes. Elles vont de l'abandon du travail à l'occupation d'un poste relativement conforme au diplôme et à la formation.

TABLEAU N° 1

**Situation professionnelle de 50 femmes
ingénieurs sorties de L'I.N.I.L.
entre 1983 et 1988.**

Situation conjugale Poste occupé (situation professionnelle).	Mariée	Célibataire	Divorcée	Total
Abandon	8	0	0	8
Sans poste de travail	3	2	0	5
Enseignement secondaire	6	4	0	10
Laboratoire	6	4	0	10
Chef de service	2	8	1	11
Chef de département	1	0	0	1
En formation à l'étranger	1	2	2	5
Total	**27**	**20**	**3**	**50**

Ces données nous permettent de constater que la présence de ces femmes est importante au niveau de l'enseignement et des laboratoires et que l'abandon du travail est relativement important et qu'il est le fait de femmes mariées. De même que les postes de responsabilité sont plus fréquemment occupés par des célibataires: sur 12 postes de responsabilité ayant un rapport direct avec la formation, 8 sont occupés par des célibataires et 1 par une femme divorcée, donc par des femmes non-mariées.

2 - L'abandon du travail

L'abandon du travail est surtout le fait de femmes mariées. Elles ont généralement travaillé quelques temps puis ont abandonné soit à leur mariage, soit à la naissance de leur premier enfant. Elles affirment toutes avoir cessé de travailler non pas à la demande de leur conjoint, mais de leur propre gré. C'est ce qui ressort des données recueillies au cours de cette enquête.

L'intérêt que ces femmes accordent à l'équilibre de leur foyer est plus grand que celui qu'elles accordent à l'activité professionnelle, si bien que même l'éventualité d'une conciliation est écartée, car comportant le risque de se faire au détriment du foyer. Le discours de ces femmes exprime assez clairement cela.

> *"Je préfère m'occuper de mon foyer et de mes enfants ; pour moi c'est plus important que tout le reste".*
> *(ingénieur, mariée, 2 enfants, conjoint ingénieur).*
> *"Quand on est mariée et qu'on travaille, on ne peut pas jouer son rôle comme il faut. On n'a pas le temps de s'occuper de son mari, de sa maison. Alors quand on a des enfants cela devient impossible. Moi je crois que normalement quand on se marie il vaut mieux s'occuper de son foyer. Car ce n'est pas possible de faire les deux".*
> *Ingénieur, mariée, 3 enfants, conjoint ingénieur.*

Ces femmes véhiculent des représentations sociales où le travail de la femme à l'extérieur du foyer n'occupe pas une place centrale, et où le rôle d'épouse et de mère est dominant. Les choix qu'elles font pour faire face aux problèmes qu'elles ont à résoudre en tant qu'épouses et mères, s'inscrivent dans cette logique.

A la question pourquoi alors avoir choisi de faire des études longues et ardues puisque le rôle au sein du foyer est considéré comme "le" rôle des femmes, il nous a été répondu, que, d'une part, le diplôme est une "arme" dont il faut se servir en cas de "coup dur" dans la vie, c'est-à-dire en cas de divorce ou de veuvage, et d'autre part le diplôme d'ingénieur a constitué pour elles un atout supplémentaire pour faire un "bon" mariage.

L'abandon du travail apparaît comme étant déterminé entièrement par le facteur mariage. Mais, en réalité, celui-ci n'agit pleinement en ce sens que parce qu'il est en conjonction avec d'autres facteurs. Parmi ces facteurs, qui sont souvent antérieurs à la vie professionnelle, celui qui nous semble très important réside dans le fait de ne pas avoir réellement choisi cette formation ; et presque toutes les femmes qui ont abandonné leur travail n'ont pas réellement choisi ce type de formation et n'ont pas manifesté un intérêt à leurs études. Elles s'étaient inscrites à cette formation tout à fait par hasard. Les résultats obtenus pendant leur scolarité nous montrent que celle-ci a été médiocre ou tout juste moyenne. D'autre part, l'existence chez ces femmes de représentations sociales où le rôle d'épouse et de mère occupe la place centrale, renforce l'action du mariage.

Il ne faut également pas négliger l'influence du conjoint, qui demeure considérable. Dans les cas que nous avons rencontrés, en général l'intervention du mari ne s'est pas manifestée sous forme d'interdiction de travailler. Elle s'est faite au contraire, de manière plus subtile, à coups d'arguments et de conseils. Dans un seul cas, il était convenu et exigé par le conjoint, avant même le mariage que la femme arrêterait le travail à la naissance d'enfants.

Ces facteurs, absence de choix, inexistence de projet professionnel, mariage et influence du conjoint prédisposent à ce type d'attitudes face au travail, et renforcent l'action du modèle traditionnel de la division des rôles entre les sexes.

3 - Femmes sans postes de travail

Ne pas être affecté à un poste de travail signifie ne pas faire un travail précis et régulier. Les travailleurs non affectés à un poste de travail touchent leur salaire régulièrement, mais un salaire inférieur à celui d'un travailleur ayant un poste, dans la mesure où il ne comporte que le salaire de base. Ils n'ont également aucune possibilité de promotion. Les arguments souvent avancés par les responsables d'entreprises, en réponse aux démarches de ces femmes et à leur insistance à être affectées à un poste de travail, sont le manque d'expérience et l'impossibilité pour une femme d'assumer des postes de responsabilité, ou des postes liés à la production. Le fait que, pour une même formation, et souvent pour une même expérience, on préfère accorder un poste de travail à un homme plutôt qu'a une femme, relève d'une certaine conception de la division du travail entre les sexes, et d'une représentation négative des aptitudes de la force de travail féminine.

Un autre point a été soulevé par les femmes sans postes : c'est celui de la région d'origine. Travailler dans une région qui n'est pas sa région d'origine ne facilite pas l'obtention d'un poste, alors que le fait d'être originaire de la région, permet d'éviter bien des obstacles. A ceci s'ajoute actuellement un fait nouveau, celui de la saturation des unités et des entreprises en cadres de ce type (et surtout les unités dans le centre du pays et dans les grands centres urbains). Dans ce contexte, les femmes voient leurs chances d'obtenir un poste encore plus réduite que par le passé. Si par le passé cette situation se répercutait sur le niveau du salaire seulement, l'emploi étant garanti, actuellement il n'en n'est plus de même. Celles qui n'ont pu obtenir de postes sont conscientes que leur maintien dans l'entreprise n'est pas très certain. Aussi font-elles des démarches pour aller ailleurs, et cet ailleurs est souvent l'enseignement.

4 - L'enseignement

Au cours de notre enquête nous avons constaté que l'enseignement était beaucoup plus recherché par les diplômées des promotions récentes. Les enseignantes que nous avons pu retrouver le sont au niveau du secondaire. Aucune n'avait, au départ, l'intention de faire de l'enseignement. C'est après avoir rejoint le lieu de leur affectation et après y avoir séjourné quelques temps qu'elles ont renoncé à y rester : soit parce qu'elles n'ont pu obtenir de postes de travail, soit parce qu'elles y ont vécu une situation de rejet. Ce rejet est évoqué même par celles qui ont travaillé dans des usines très féminisées. Et il semble que dans ce cas il a été plus traumatisant et l'option pour l'enseignement devient irréversible.

Ce rejet pourrait signifier que les représentations qui font des postes de responsabilité des postes strictement "masculins", imprègnent aussi fortement les femmes que les hommes et nourrissent l'hostilité de ces ouvrières à l'égard de leurs supérieures femmes. A cela s'ajoute, pour les femmes mariées, l'impossibilité, à laquelle elles ont été confrontées, de concilier leur travail et leurs obligations familiales. La disponibilité que procure l'enseignement a été décisive dans leur réorientation. Elles se plaignent souvent de ne pas être bien considérées et d'être mal payées, mais elles préfèrent cela et avoir plus de temps à consacrer à leur foyer, que d'avoir un poste important et un salaire plus élevé au détriment de leur foyer. C'est à leur rôle de mère et d'épouse que la primauté est accordée.

Quand aux projets d'avenir formulés par ces femmes, ils diffèrent selon qu'elles soient célibataires ou mariées. Les enseignantes mariées comptent toutes faire carrière dans l'enseignement, car disent-elles, "il n'y a pas mieux que l'enseignement pour une femme". Aucun projet de perfection-nement n'est envisagé ni la possibilité de changer de travail. Elles adoptent une stratégie au bénéfice de leur rôle d'épouse et de mère.

Les enseignantes célibataires manifestent une certaine insatisfaction et un sentiment de frustration, car elles considèrent qu'un poste dans l'enseignement secondaire n'est pas très valorisant et ne leur permet de "rentabiliser" ni socialement ni matériellement leur diplôme. C'est pour cela que la formation et le perfectionnement sont considérés comme prioritaires, et la possibilité de quitter l'enseignement pour un travail plus conforme à la formation initiale, n'est pas exclue.

La réorientation de ces femmes ingénieurs vers l'enseignement rentre dans la logique du modèle traditionnel de la division du travail entre les sexes. Un ensemble de facteurs détermine ce mécanisme. Certains de ces facteurs, internes au monde du travail, expriment l'existence à ce niveau, de représentations et de valeurs fortement marquées du système de représentations et de valeurs traditionnelles. Ces facteurs s'expriment par des attitudes nettement défavorables à l'occupation de postes de responsabilité par des femmes. D'une manière générale le personnel d'exécution, aussi bien les employés de bureaux, que les ouvriers et ouvrières sont hostiles à la présence de femmes dans des postes de responsabilité. Cette hostilité se traduit de différentes manières dont la plus importante est le refus de collaborer avec des responsables femmes et d'exécuter les ordres qui en émanent. Cette hostilité est, semble-t-il, plus accentuée dans les usines où le personnel d'exécution est essentiellement féminin.

Quant à l'attitude des responsables, elle est importante à plus d'un titre. Lorsqu'elle est négative et nettement défavorable, l'insertion des femmes dans ce milieu est impossible car dans ce cas, c'est la base même de leur insertion professionnelle c'est-à-dire l'affectation à un poste de travail, qui leur est refusée. Dans ce cas c'est une incitation, presque une obligation, à un retour vers des espaces "féminins", et des professions "féminines". D'autres facteurs sont antérieurs à la vie professionnelle : il s'agit notamment du système de formation qui ne prend pas les moyens de préparer ces femmes à s'affirmer dans les postes pour lesquels elles ont été formées. Le séjour au sein de l'institut de formation ne permet pas et ne favorise pas l'apparition de réflexes et de comportements nécessaires à l'exercice des métiers pour lesquels elles ont été formées. La majorité d'entre elles, ayant fortement intégré le système de valeurs dominant, est rendue plus sensible aux pressions exercées sur elles pour les faire revenir vers des choix plus conformes aux normes sociales dominantes. Le facteur mariage, lorsqu'il est conjugué à ceux que nous venons de citer, renforce cette tendance, dans la mesure où, pour les femmes mariées la réorientation vers l'enseignement se veut définitive.

5 - Les laboratoires

Le travail en laboratoire est le mieux accepté par les hommes pour les femmes : dans une unité de production, c'est celui pour lequel les responsables présentent le moins de résistances à y affecter des femmes. Les anciennes étudiantes que nous avons pu rencontrer en sont satisfaites. Elles préfèrent l'ambiance du laboratoire à celle des ateliers de production: c'est plus calme, le travail est propre, et le plus important c'est qu'elles y sont mieux admises.

> "... quand j'ai fait mes stages j'ai compris que je ne pourrais travailler qu'en laboratoire, car là, on n'est pas trop mal vu et puis j'aime bien le laboratoire, je me sens un peu comme dans une cuisine et le travail s'en rapproche. Pour faire de la cuisine il suffit de mélanger tel ou tel légume et on obtient un plat, ici il suffit de mélanger des corps et on obtient un produit. En plus on est tranquille, on n'a pas de contacts permanents avec les travailleurs des ateliers et on n'est pas très embêtées sauf quand on rentre et on sort ou quand on fait des tournées dans les ateliers".
> Technicienne supérieure, corps gras, célibataire.

Ces femmes préfèrent travailler en laboratoire pour deux types de raisons : d'abord parce qu'elles y sont acceptées. Le discours de ces femmes dénotent leur soumission à un ordre qu'elles ont intériorisé, à une logique qu'elles n'ont nullement l'intention de déranger ("j'ai compris que je ne pourrai travailler qu'en laboratoire", "on n'y est pas trop mal vu"). Ensuite parce qu'elles s'y sentent bien car c'est un espace qui leur en rappelle un autre où elles peuvent régner sans partage, la cuisine.

Le travail dans les laboratoires consiste à faire des contrôles de qualité des produits, de la matière première, etc.. Il s'agit aussi de faire des recherches pour améliorer la qualité des produits, donc de trouver de nouvelles "recettes". Le premier aspect du travail c'est-à-dire contrôle de la qualité se fait sans embûches car il s'agit surtout de voir si le produit répond aux normes, donc de constater et de transmettre des résultats. Mais le deuxième aspect du travail est plus difficile à réaliser, car proposer une nouvelle recette, c'est proposer des changements. Or ceci n'est pas du tout évident, car le personnel est souvent très ancien et accepte mal toute nouveauté ou changement proposés par les jeunes cadres et encore moins ceux proposés par des femmes.

Mais certaines pensent que les difficultés et les résistances de ce type peuvent être aplanies avec le temps, lorsque les ouvriers auront acquis l'habitude de voir des femmes cadres travailler par eux. Le problème qui se pose actuellement aux laboratoires est celui de la surcharge en personnel. Les laboratoires sont les services qui enregistrent le plus souvent un excédent en personnel d'encadrement, surtout féminin. Dans ce cas celles qui y sont affectées ne se voient pas confier un travail régulier et permanent, mais se contentent d'intervenir épisodiquement lorsqu'il y a plus de travail que d'habitude.

En dehors de ce problème de surcharge en personnel, le travail en laboratoire reste celui pour lequel les femmes rencontrent le moins de problèmes et au sein duquel elles sont automatiquement affectées lorsqu'elles sont dans une unité de production. Ceci dénote que dans la logique des responsables, le mode de répartition de l'espace et des tâches professionnelles, reste soumis au modèle traditionnel de la répartition des activités et de l'espace selon les sexes.

Toutefois, face à la pénurie de postes de travail, le laboratoire, qui a toujours été une sorte de chasse gardée des femmes, est de plus en plus investi par leur collègues hommes. Ce qui risque à moyen terme de "masculiniser" un espace qui jusqu'à présent était considéré comme espace féminin et accepté comme tel.

6 - Les chefs de services

Au niveau de sièges administratifs, généralement, les femmes intervenant à ce niveau ont d'abord travaillé dans des unités de production, puis soit à leur demande, soit à la demande d'un responsable, ont été affectées au poste actuel. Certaines ont été affectées au départ dans des unités de production et ont travaillé dans des ateliers. Mais la difficile intégration dans le milieu des ouvriers et l'impossibilité qui en découle de répondre aux exigences du poste de travail, ont été à l'origine de leur choix pour un poste hors de la production.

"J'ai travaillé une année dans la production au niveau de l'atelier finissage. Les ouvriers ne m'ont pas du tout acceptée. Ils m'ignoraient complètement et refusaient de faire tout ce que je leur demandais. C'est un peu normal, ils sont tous anciens et n'acceptent pas les nouveaux, surtout

une femme qui occupe un poste supérieur aux leurs".
Chef de service formation, célibataire.

Parfois les postes occupés par ces femmes n'ont aucun rapport avec leur profil de formation et ne demandent pas les connaissances techniques qu'elles ont acquises lors de leur formation. C'est le cas de celle que nous venons de citer et qui est responsable du service formation, alors que sa spécialité est le finissage du textile. Mais des postes tels que celui-là sont un moyen pour échapper aux problèmes qui leur sont posés dans la production, au risque de faire un travail qui n'a rien à voir avec la formation reçue. Mieux vaut, affirment-elles, faire un travail qui n'a rien à voir avec la formation, que de ne rien faire. On peut considérer ce choix comme une stratégie de maintien, stratégie qu'un ensemble de facteurs ont déterminée : l'impossibilité de travailler dans la production, l'existence d'un poste vacant au sein de l'administration, et surtout l'accord du responsable concerné pour l'occupation de ce poste.

Toutes les femmes chefs de services, que nous avons rencontrées, manifestent, dans les propos qu'elles tiennent une aspiration très forte à la réussite professionnelle. Le travail occupe chez ces femmes une place importante. Il est, dans leur stratégie, le moyen principal de réalisation de leurs aspirations. Cela apparaît dans leur discours, mais également dans leurs pratiques : elles sont allées vers le travail, elles se sont souvent déplacées vers les lieux où l'obtention d'un poste était possible. Elles ont adopté une attitude dynamique. Elles ont pris le risque de s'impliquer totalement dans leur travail et d'assumer les répercussions, souvent négatives, que cela aurait sur leur foyer, sur leur vie privée.

Cette volonté de réussite professionnelle et matérielle trouve son origine dans la famille, soit sous forme d'encouragements de la part des parents, soit sous forme d'attentes et d'aspirations des parents à l'amélioration des conditions matérielles et sociales de la famille et que ces filles permettent, en partie, de réaliser. Si habituellement la réalisation de ces aspirations repose sur les garçons de la famille, dans ce cas il n'en est pas ainsi car souvent les garçons, au sein de ces familles sont dans une situation d'échec scolaire.

Conclusion

Les besoins de l'économie en cadres techniques ont offert à des femmes des possibilités de formation non conformes à la norme dominante. L'égalité d'accès à la formation technique pour les personnes des deux sexes devait permettre d'aboutir progressivement à une égalité devant l'affectation aux postes de travail, et on aurait pu assister progressivement à l'accession de ces femmes à des postes similaires à ceux occupés par leurs collègues hommes, donc d'obtenir à formation égale, un poste identique. Or ceci ne s'est pas réalisé. Les résultats de cette enquête nous montrent que si l'égalité d'accès à ce type de formation sur la base de l'égalité des capacités est une condition nécessaire, elle ne saurait à elle seule permettre une égalité réelle.

Le résultat en a été que la mise au travail, pour la majorité d'entre elles, s'est produite dans la logique du schéma traditionnel de la division des emplois entre les sexes. Il y a tout de même des exceptions qui ont réussi à s'accrocher qui sont la preuve vivante qu'il est possible pour une femme de s'insérer et de réussir dans une carrière professionnelle considérée comme strictement "masculine". Mais le fait que ces exceptions soient dans leur majorité célibataires ou divorcées signifie-t-il que la montée des femmes dans la hiérarchie professionnelle au sein des carrières "masculines" entraîne forcément une exclusion matrimoniale ? Cette exclusion matrimoniale serait-elle le tribut que ces femmes doivent payer pour leur évolution et leur promotion dans l'univers des hommes et dans un contexte caractérisé par une égalité formelle sans norme d'égalité? Pour la majorité, le décalage entre transformation des conditions objectives et transformation des normes, et donc l'absence de normes plus appropriées aux conditions nouvelles, se traduit par une auto-élimination totale par ces femmes, ou une auto-élimination partielle avec retour vers des espaces et des professions plus "féminines".

BIBLIOGRAPHIE

Abrous Dahbia, 1989. *L'honneur face au travail des femmes en Algérie*. Paris, l'Harmattan, 1989.

Boutefnouchet Mostefa. 1980. *La famille Algérienne : évolution et caractéristiques récentes*. Alger, S.N.E.D.

Debzi et Descloitres. 1963. "Système de parenté et structures familiales en Algérie". *In Annuaire d'Afrique du Nord*. Paris.

Cherfati-Mrabtine Doria. 1987. *Les représentations sociales chez un groupe d'ouvrières*. Mémoire de Magister en sociologie. Université d'Alger.

Henni Ahmed. 1987. *La mise en oeuvre de l'option scientifique et technique en Algérie : le système d'enseignement et de formation*. C.R.E.A.D., Alger.

Khelfaoui Hocine. 1987. *Contribution à une analyse sociologique de la formation technologique extra-scolaire en Algérie*. Mémoire de magister en sociologie. Université d'Alger.

Khodja Souad. 1991. *A comme Algériennes*. Alger. ENAL.

Oussedik Fatma. 1986. *Femmes et fécondité en milieu urbain*. C.R.E.A.D. Alger.

FORMATION DU LIEU CONJUGAL ET NOUVEAUX MODELES FAMILIAUX EN ALGÉRIE

Faouzi ADEL

*T*ous les discours se plaisent à répéter que la famille au Maghreb est en crise mais très peu tentent d'en cerner les véritables causes. La rareté des écrits sur la question (en particulier en Algérie) atteste de cette vérité. Il semble que le phénomène de méconnaissance qui porte sur le changement familial soit le produit d'une double dissimulation : celle du pouvoir politique qui continue de tenir secrètes toutes les statistiques se rapportant, au fait familial (divorce, viols, naissances illégitimes, incestes ...) et celle du pouvoir religieux dont le discours hégémonique verrouille toute possibilité de questionnement sur la nature réelle des changements qui affectent la structure familiale. A cette double dissimulation, il faut ajouter la complicité de nos intellectuels pour qui les recherches sur la famille ne sont pas gratifiantes, aussi bien politiquement que socialement. Mais il faut reconnaître aussi que la résistance au questionnement provient de la société elle même puisque les recherches portant sur l'intimité sont toujours considérées comme une violation de la **hurma** et provoquent réprobation et refus de collaborer. On comprend ainsi que l'investigation scientifique dans ce domaine devienne véritable aventure et qu'il faille beaucoup de patience et une connaissance approfondie du terrain pour arriver à des résultats.

1 - Crise du modèle familial agnatique

Si aujourd'hui les problèmes de la famille sont posés abusivement en termes de crise, c'est probablement parce que la manière de les poser, elle-même est en crise. L'idée qui continue de dominer le champ de l'analyse reste celle d'une évolution inéluctable vers la famille nucléaire. Nous savons de quelle manière Levi-Strauss a réfuté cette idée d'évolution linéaire sur la longue durée (Lévi-Strauss, C., 1986 : 9-13). Martine

Segalen en a fait autant, lorsqu'il s'est agi d'analyser les effets de la révolution industrielle sur la structure familiale en France (Segalen, M.,1986).

Il importe de saisir l'ampleur du débat théorique qui tourne autour de cette question pour se rendre compte que la simplification à laquelle se livrent certains sociologues ne correspond pas à la réalité des faits. Qu'en est-il ? Levi-Strauss résume le débat en distinguant les anthropologues et sociologues qui s'occupent de la famille en deux sectes rivales qu'il appelle les "verticaux" et les "horizontaux". Les premiers verraient dans la filiation le fondement principal de la famille puisque c'est grâce à la fidélité d'une génération à une autre que se perpétue cette institution dans le temps alors que les seconds privilégient la trame horizontale, c'est-à-dire la nécessité pour chaque famille d'échanger par le mariage avec une autre famille pour rendre possible les liens sociaux. La vérité tiendrait probablement dans la synthèse des deux perspectives puisque la solidarité "verticale" n'est possible que s'il y a au minimum un souci d'alliance avec les autres familles.

Ce sont les termes de la problématique qu'il faudrait élaborer pour comprendre l'évolution de la famille au Maghreb. Plutôt que la transition d'une forme familiale élargie à une forme familiale simplifiée (nucléaire) il faudrait penser le changement comme le passage d'un type familial fondé sur la solidarité "verticale" à un autre type fondé sur la solidarité "horizontale". De cette sorte on peut parler d'une crise du modèle familial agnatique dont les principes de fonctionnement et de reproduction ne répondent plus aux impératifs du moment.

Mais avant de parler de crise, il faudrait d'abord définir les caractéristiques du modèle familial agnatique. Disons qu'il s'agit du groupe de parenté du père qui développe une organisation socio-économique et domestique particulière afin de consolider les liens entre les agnats et obliger chaque génération à cultiver la mémoire généalogique. Le lien du sang se cristallise ici, dans des institutions dont le caractère communautaire garantit la pérennité du groupe. La base matérielle de la solidarité reste l'indivision des terres et l'unité territoriale, mais ce ne sont là que des moyens destinés à confondre la valeur du bien avec celle du nom.

Sur le plan de l'organisation domestique, cette solidarité se traduit par la cohabitation d'au moins trois générations comprenant le père et tous ses fils mariés et non mariés ainsi que leurs enfants. Autant dire que le regroupement d'un si grand nombre de personnes sous le même toit (cela peut aller jusqu'à 50 personnes) suppose une autorité centrale, celle du patriarche indiscutable et indiscutée et une étroite solidarité entre les frères. Il s'agit bien entendu de gérer un patrimoine grâce à une division du travail bien réglée mais aussi de préserver un capital honneur souvent plus important aux yeux du groupe parce que garant de la valeur du nom familial. L'obsession de ce type de famille est l'unité et tout ce qui est tenté pour l'affaiblir (l'initiative individuelle par exemple) est découragée. Il est aisé de comprendre dans ce cas, la méfiance qu'elle cultive à l'égard de l'étranger. L'endogamie illustre parfaitement cette méfiance. Elle consiste en une stratégie à travers laquelle le groupe contrôle la   circulation de ses femmes et se préserve de toute atteinte au patrimoine, qu'il soit matériel ou symbolique. Le mariage est un moment important dans la vie du groupe; il représente à chaque fois un réel danger pour son équilibre. Les caractéristiques socio- démographiques qui découlent d'un tel modèle ont été largement décrites : mariages précoces, écart d'âge important entre les époux, divortialité élevée, forte natalité, autant de données qui traduisent l'impératif du groupe d'assurer sa reproduction en grand nombre, tout en préservant sa cohésion (par le recours au divorce) quitte à cantonner une partie des femmes dans le statut de femmes divorcées ou abandonnées.

2 - Facteurs de dissolution du modèle familial agnatique

Les choses vont changer à partir du moment où la base socio-économique et politique qui faisait l'unité et l'unicité de la famille s'effrite. L'émergence d'une économie tournée vers le marché et l'apparition de l'état comme intermédiaire principal entre les individus vont modifier les conditions de reproduction de la cohésion familiale ainsi que les rapports entre les membres d'une même famille. Le destin individuel ne se confond plus avec le destin collectif de la famille et la possibilité d'une mobilité sociale et professionnelle est certainement un élément de désintégration des liens familiaux.

Il faut souligner un point important ici. Le phénomène migratoire ne se confond pas forcément avec la mobilité sociale. Les travaux de A. Sayad et A. Gillette montrent de façon remarquable que le premier âge de l'émigration Algérienne en France était le contraire d'une mobilité, puisque le fils qui était délégué par sa communauté pour travailler en usine n'épousait la condition ouvrière qu'un moment, juste le temps de dégager assez de revenus pour consolider la condition paysanne du groupe.

La rupture ne se réalise qu'à partir du moment où les conditions subjectives sont réunies. P. Bourdieu a bien montré que le déracinement du monde rural est le produit d'une sorte de désenchantement des paysans eux-mêmes à l'égard du travail de la terre et des valeurs communautaires. C'est cette nouvelle conscience qui a poussé les individus à se détacher du patrimoine indivis, souvent dérisoire et à développer des ambitions personnelles, souvent contradictoires avec l'objectif de cohésion souhaité par le groupe familial. L'éclatement du territoire agnatique et la dispersion du clan familial sonnent donc le glas du modèle familial traditionnel et préfigurent un avenir plein de dangers pour la cohésion familiale.

Il est vrai que la ville présente le visage de la séduction : elle offre un emploi et un revenu régulier, une scolarisation pour les enfants et des possibilités de consommation plus élargies.

3 - Stratégies de résistance et adaptation au phénomène de la modernité

La nécessité de se fixer en ville oblige à des stratégies qui visent à sauver l'essentiel. Malgré la diversité des situations, l'objectif reste le même : la cohésion du groupe familial. L'axe principal de la solidarité reste le lien entre les frères. C'est à travers lui que se reconstitue le noyau dur de l'entraide familiale. Mais c'est aussi à travers le lien entre tous les agnats que peuvent se mettre en place des réseaux de parenté, seuls à même de donner quelque pouvoir aux nouveaux arrivants sur la ville. C'est cette vérité qui permet à E. Todd de parler d'horizontalité des relations sociales dans le monde arabe, dans le sens où les institutions étatiques sont contournées (où détournées) aux profits des intérêts du clan.

Mais avant d'approfondir l'aspect politique de cette question, il faudrait s'interroger sur les formes domestiques que génère ce type de solidarité et sur tous les types de cohabitation que connaît la famille d'aujourd'hui. Les évaluations statistiques qu'on peut en avoir sont réalisées à partir de la notion de ménage qui se réfère à l'unité de logement ; or, comme le dit si bien Ph. Fargues "la famille élargie peut fonctionner comme un groupe réel sans qu'il y ait cohabitation de tous ses membres", (Fargues, Ph.,1986). La meilleure preuve en est tous les regroupements résidentiels à caractère familial qu'on retrouve dans les quartiers pauvres, comme à Oued El-Had ou dans les bidonvilles dans la ville de Constantine.

Faute d'une conceptualisation plus objective, nous pouvons avoir une idée chiffrée des regroupements domestiques tels que nous les fournissent les recensements de 1966, 1977 et 1987. De façon succincte, on peut constater que le couple (époux, épouse et enfants) constitue l'assise principale des regroupements familiaux et qu'il est en évolution constante (58,2% pour 1966, 58,8% pour 1977 et 66,97% pour 1987). A côté de ce type principal, les recensements mettent en relief un deuxième type, celui où le couple est dominant, mais à qui s'adjoignent des personnes isolées qui peuvent être soit des ascendants soit des collatéraux, soit un membre proche ou éloigné de la parenté (13,4% pour 1966, 15,4% pou 1977 et 9,45% pour 1987).

Le troisième type de regroupement concerne ce qu'on appelle en termes statistiques, les familles complexes et qui désigne en fait les regroupements qui rassemblent les familles de deux frères ou plus ainsi que des ascendants ou des collatéraux isolés. Ce sont là les regroupements qui témoignent du souci de l'horizontalité dont nous parlions plus haut (21,1% pour 1966, 21,2% pour 1977 et 19,92% pour 1987).

Le phénomène nouveau qui apparaît dans la structure de l'organisation domestique, c'est la cohabitation dont la nature ne découle plus du modèle familial unique mais d'une diversité de situations qui renvoient, non seulement à une diversité dans les patrimoines et les revenus, mais aussi à la trajectoire particulière de chacun des membres de la famille et en particulier la trajectoire du chef de famille.

Le phénomène de la cohabitation est révélateur, non seulement du volume du groupe domestique, (Lacoste-Dujardin, 1976), mais aussi de sa structure. En effet, le regroupement n'a pas le même sens s'il est composé de famille "horizontales", comprenant plusieurs couples de la même génération, ou s'il s'agit de familles "verticales" comprenant plusieurs couples de générations différentes ou mieux encore s'il s'agit de regroupements plus complexes à caractère vertical et horizontal. Chaque type correspond à une histoire familiale, à une situation socio-économique donnée et à des intérêts stratégiques de cohésion imposés par la situation nouvelle.

On peut, pour éclairer ce point, s'appuyer sur la conceptualisation opérée par Von Allmen, qui distingue entre la famille lignagère où "les stratégies sont d'abord marquées par un système d'intérêts orienté vers l'intégration politique du groupe familial utile à toutes sortes de successions" et la famille domestique où le système d'intérêts est plutôt orienté vers l'aménagement des conditions matérielles de la coexistence familiale, (Allmen, Von, 1985). S'ils n'induisent pas nécessairement des formes de cohabitation données, ces deux types d'intérêts indiquent en tout cas une grille de lecture possible à partir de laquelle on peut interpréter les situations de cohabitation vécues.

Ainsi, les travaux de Cl. Chaulet ont bien montré que "le modèle familial à frères indivis" est pratiqué par la plupart des familles qui s'accrochent à leur patrimoine agricole même s'il n'est pas suffisant pour faire vivre tous ses membres. Sa valeur symbolique peut être importante, au point d'inciter un ou plusieurs de ses membres à rechercher à l'extérieur de l'exploitation des revenus (salaires) qui puissent consolider celle-ci (Chaulet, C.,1987). De même que l'enquête de J. Peneff sur les industriels Algériens, (Peneff, J.,1981), a révélé que l'accumulation de capital, réalisée par certains industriels, n'aurait pas pu se faire sans la mobilisation des rapports de parenté et en particulier, l'implication des frères dans l'entreprise d'investissements.

L'intérêt domestique rassemble surtout les familles des classes salariés, les plus démunies, celles qui ne peuvent survivre qu'en faisant jouer un minimum de solidarité. A titre d'exemple, notre enquête a révélé que chez les salariés agricoles des fermes anciennement autogérées, le type de cohabitation horizontale (entre frères mariés) est très pratiqué. Il permet de mettre en commun des revenus qui, s'ils restaient individualisés, s'avéreraient trop faibles pour subvenir aux besoins d'un seul ménage. Il stimule aussi les réflexes de solidarité, face aux dépenses extraordinaires (maladies, mariage, construction ...).

Ainsi pour la construction de la maison, aucun de nos enquêtés n'a fait appel à des maçons; tous ont réalisé leur logis grâce à l'aide manuelle et parfois financière du frère ou du cousin. Bien entendu, l'intérêt domestique ne se traduit pas seulement dans la cohabitation de solidarité. Il implique aussi des stratégies matrimoniales élaborées, pour éviter la dispersion des frères et met en relief principalement le rôle de la mère dans ce mécanisme de recomposition des intérêts à la cohésion domestique.

Mais avant d'aborder ce point particulier, il est important de dire que les formes de cohabitation qui découlent de l'intérêt domestique sont plus fragiles et moins durables que celles liées à l'intérêt du lignage, pour la raison bien simple que les difficultés de la gestion quotidienne d'une telle coexistence, ont vite fait d'épuiser le stock de motivations, à l'unité familiale. Il faut souligner ici le rôle des épouses qui ne se sentent aucunement concernées par l'objectif de cohésion et qui travaillent donc à réaliser les conditions de la séparation.

On retrouve aussi des formes de cohabitation tout à fait transitoires, qui sont beaucoup plus liées à une conjoncture (manque de logement, difficultés financières passagères ...) qu'à une volonté de vivre en commun. En définitive, la cohabitation ne fait pas figure d'avenir, objectif pour la grande majorité des classes salariées. Elle représente une solution réaliste et conforme à leurs intérêts pour les classes patrimoniales.

4 - Stratégies matrimoniales, choix du conjoint et contraintes du marché

C'est le mariage, c'est-à-dire la nécessité de s'allier aux autres qui va exposer la cohésion familiale à de graves dangers. Les règles du jeu matrimonial ont profondément changé et il n'est plus possible, par exemple, de recourir aussi facilement au mariage interne, pour sauver une unité en péril. Il s'agit encore une fois de s'adapter, c'est-à-dire, de faire correspondre les exigences nées de situations nouvelles avec l'impératif de survie du groupe. La question qui se pose donc est de savoir quelles sont les nouvelles règles du jeu et comment s'en accommoder ?

S'il fallait résumer les nouvelles caractéristiques du champ matrimonial, on pourrait dire qu'il s'agit du passage de l'endogamie à l'homogamie et à d'autres formes de mariages, plus ou moins ouverts. Est-ce à dire que les mariages dans la parenté n'ont plus cours ? Les chiffres de l'Office National de la Statistique nous donnent un taux d'environ 20% de mariages "toutes parentés" sur l'ensemble des mariages qui se déroulent chaque année. Il est regrettable que ce chiffre ne soit pas plus détaillé. Ainsi, on ne peut pas savoir de quel prestige jouit encore le mariage avec la cousine parallèle, dans la mesure où il constitue le mariage idéal du point de vue de la famille agnatique. Faute d'une telle précision, on peut faire l'hypothèse que ce chiffre concerne tous les mariages de type "endogamie villageoise".

Le fait est que le mariage, à l'intérieur de la parenté, connaît une régression certaine. On peut même dire qu'il a changé de sens puisque le recours aux liens de parenté pour se marier ou se remarier n'exprime pas toujours un attachement à la parenté, mais révèle une attitude défensive des couches nouvellement urbanisées qui, dépourvues de connaissances, n'arrivent pas à trouver l'allié qui leur convient et finissent par revenir au **douar** d'origine. Autre certitude : les femmes sont de plus en plus réticentes aux mariages avec leurs proches, parce que probablement plus conscientes des obligations qui en découlent. Elles le sont d'autant qu'elles ont un niveau d'instruction supérieur. Ainsi, 10,7% seulement d'entre elles se marient dans la parenté[1]. C'est ainsi que se pose le problème du choix du conjoint et des filières empruntées pour y arriver. Dans son étude, Von Allmen distingue quatre filières :

- la filière paternelle ;
- la filière maternelle ;
- la filière masculine extra-familiale ;
- la filière personnelle.

Cette classification est fondée sur l'identification du personnage principal (père, mère, intermédiaire et l'intéressé lui-même) qui réalise les conditions pratiques d'accès à l'épouse. Mais en réalité, elle met en relief deux situations bien distinctes : celle où l'intéressé lui-même fait son propre choix et tente d'en maîtriser toutes les opérations (mais il n'y arrive pas toujours) et celle où il se retrouve totalement dépendant de la mobilisation du cercle familial. Il est évident que ces deux situations sont le produit de milieux socio-familiaux différents. Dans un cas, la trajectoire est beaucoup plus individualisée et tournée vers l'accomplissement d'une vie personnelle, faite de mobilité, de rencontres avec l'extérieur et de contacts avec l'autre sexe ; dans l'autre cas, il s'agit d'individus, encore insérés dans le réseau familial qui n'ont pas connu de grande mobilité et dont la socialisation s'est réalisée dans une totale séparation avec l'autre sexe. C'est la mise en évidence de ces situations qui permet d'indiquer la manière avec laquelle sera résolue la question : comment et où trouver son futur conjoint ? Dans le premier cas, c'est l'initiative individuelle et la fréquentation de lieux mixtes particuliers : lieux de travail, université etc., qui seront déterminants dans le choix du conjoint alors que dans le second cas, la recherche du conjoint est beaucoup plus fonction du degré d'implantation des parents dans la cité, de l'étendue de leurs connais-sances, de la facilité avec laquelle ils entrent en contact avec les autres. Il est vrai que cette situation met beaucoup plus en exergue le rôle de la mère, dans la mesure où elle est "l'entremetteuse la plus proche du père et du fils" (Allmen, Von, 1983 : 30), donc intermédiaire idéal pour une concertation à trois, mais aussi parce qu'elle peut se faufiler habilement dans les cercles féminins, où se concoctent habituellement les projets matrimoniaux.

Cette dépendance du fils à l'égard de ses parents n'est pas sans conséquences sur le choix du conjoint puisqu'elle l'oblige à tenir compte des intérêts du groupe domestique et en particulier de son unité, ce qui suppose le principe de la cohabitation ou en tout cas, un contrôle de la vie du couple par les parents. Lorsque le choix du conjoint est libre et personnel, cela n'implique pas une totale indépendance à l'égard des parents. La nécessité de mener à terme le mariage (négociations, dot, trousseau, réalisation pratique de la fête) donne à ces derniers l'occasion de reprendre le pouvoir et de s'imposer au fils comme relais nécessaire pour la poursuite des opérations.

Ce sont toutes ces situations qui font dire à Von Allmen qu'il n'y a pas de choix réellement libéré des contraintes de la parenté et qu'au bout du compte, il n'y a que des familles pseudo-conjugales. Bien que ce point de vue mette en relief la résistance des familles à l'éclatement, il occulte des situations tout à fait nouvelles où l'expérience amoureuse, associée à un parcours individuel et une volonté de rupture avec les parents peut engendrer le souci de l'intérêt conjugal au sens étroit du mot. Nous reviendrons plus loin sur ce problème lorsque nous aborderons la question des modèles. Pour le moment, il faut souligner que la recherche du conjoint est guidée par deux principes : celui de retrouver son semblable sur le plan socio-économique et culturel. C'est de ce point de vue qu'on parle d'homogamie ; mais aussi celui de réaliser une alliance avantageuse en se mariant à des gens plus élevés dans la hiérarchie sociale. C'est ce qu'on appelle l'hétérogamie. Nous adoptons ces deux concepts pour simplifier les choses parce qu'en réalité, elles ne rendent pas compte de la complexité des alliances qui se font sur le terrain. Et la moindre des questions à poser est de savoir de quel point de vue le mariage est-il homogame ou hétérogame. Du point de vue des parents ou de celui des enfants ?

Disons pour aller vite que ce sont les classes moyennes qui pratiquent le plus souvent l'hétérogamie probablement parce qu'elles sont en rupture avec leur milieu d'origine, mais aussi parce qu'elles sont portées par une mobilité sociale réelle à fréquenter des milieux sociaux nouveaux. Mais c'est là aussi que se réalisent le plus de mésalliances et donc de divorces. L'homogamie est pratiquée par les classes extrêmes pour des raisons différentes. Chez les classes supérieures (cadres supérieurs, professions libérales, grands notables traditionnels ...), elle illustre le souci de l'échange fermé, destiné à préserver ou à renforcer les privilèges acquis alors que chez les classes inférieures (petits commerçants, artisans citadins, ouvriers, paysans), c'est une homogamie de nécessité qui s'explique par le fait que le mariage se réduit à sa propre fin. C'est surtout vrai pour les paysans dont la condition dévalorisée n'autorise aucun espoir, sauf pour les filles de se marier à l'extérieur de leur milieu.

5 - Nouveaux modèles familiaux

Nous avons tenté à partir d'une enquête de terrain dans des milieux sociaux différents de dégager les éléments qui nous permettent de construire des modèles familiaux. Il faut bien souligner avec L. Roussel que le modèle n'est pas une simple typologie, mais une tentative de donner du sens à ce qu'il appelle des "associations régulières de comportement" (Roussel, L.1980:546). Nous avons donc opéré ce type d'association en prenant en compte la trajectoire de l'individu, son expérience pré-conjugale (affective et sexuelle), le choix de son conjoint et la réalisation du mariage, la nature du regroupement domestique, les rapports avec la parenté ainsi que le modèle de fécondité. Nous sommes arrivés à construire trois modèles : le modèle de l'indivision, le modèle de la transition et le modèle conjugal.

a - Le modèle de l'indivision :

Il repose essentiellement sur un choix du conjoint, proposé (ou imposé) par les parents. Dans la mesure où c'est la cohésion de la grande famille, qui passe en premier (pour des raisons de patrimoine, mais aussi de perpétuation du nom), il est vital que la hiérarchie domestique produise ses effets pour maîtriser cette opération. C'est aussi pour cette raison que le conjoint est recherché dans le milieu de la parenté, même si la cousine perd sa place de favorite. Ce modèle concerne des individus dont la mobilité géographique est presque nulle. S'il leur arrive de s'éloigner, ce n'est que pour une période précise, et toujours avec l'intention de retourner sur le lieu d'origine.

Les horizons de leur monde se limitent au milieu du voisinage et celui du travail. Ils ne peuvent donc développer une expérience sexuelle et affective, faute de pouvoir approcher le monde des femmes. Toutes ces conditions justifient que l'institution du mariage soit centrale dans ce modèle. C'est parce qu'il confirme l'autorité domestique dans sa hiérarchie et qu'il réactive les liens de solidarité, à l'intérieur de la parenté, que le mariage est un événement important. C'est dans ce modèle que les conditions de mariage sont parfaitement maîtrisées par les parents. La dote est l'élément clé de l'échange, non seulement parce qu'elle constitue un engagement sérieux des deux côtés, mais aussi parce qu'elle est la mesure à partir de laquelle on peut juger de l'honorabilité et du prestige d'une famille.

Ce type de mariage se caractérise par un écart d'âge important entre les conjoints ; ceci, afin d'assurer une autorité incontestée à l'époux, mais aussi à la mère de l'époux, dans la mesure où ce mariage débouche nécessairement sur la cohabitation avec les parents de l'époux. L'organisation domestique répond au principe de la division stricte du travail et de la séparation des espaces entre les sexes. Les relations qui s'y déroulent ont pour objectif, d'activer la solidarité entre les frères, et de maintenir les brus dans le statut d'étrangères, jusqu'à ce qu'elles fassent la preuve par une fécondité élevée, qu'elles ont intégré le clan familial.

Le système de relations, le plus signifiant, du point de vue de ce modèle est celui qui lie l'époux, l'épouse et la mère de l'époux. Cette dernière fait écran à la relation conjugale, en jouant du lien affectif, qui l'attache au fils.

Dans le domaine de l'intimité, les comportements sont régis par des règles strictes, fondées sur une "division morale du travail", qui fait de la vertu des femmes, la source principale de l'honneur des hommes. C'est ce qui justifie leur claustration ou à tout le moins, le fait que leurs sorties soient sévèrement réglementées. Cette conception de l'honneur trouve sa plus grande illustration dans la nuit de noces où la virginité de la mariée prend valeur de symbole.

b - Le modèle de transition

Il est porté par des individus, dont la mobilité sociale réelle ne débouche pas forcément sur une rupture, avec le milieu d'origine. La possibilité qui s'offre à eux de rencontrer et de choisir leur futur conjoint reste subordonnée à l'accord des parents. Cette possibilité de choix libre peut aussi être l'oeuvre d'un intermédiaire qui arrange la rencontre. Il n'est pas question ici, d'aventure sentimentale et encore moins de rapports sexuels préalables, mais d'une fréquentation qui permet d'aménager les conditions du contrat conjugal. Ce qui constitue déjà une brèche importante dans l'autorité des parents de l'époux.

Dans ce modèle, la volonté de décohabitation du fils se heurte aux difficultés objectives de réaliser l'autonomie (impossibilité de trouver un logement, prise en charge des parents, etc.) d'où, les problèmes de la coexistence quotidienne entre la belle-mère et la bru. Il faut dire qu'ici les épouses ont un certain niveau d'instruction et disposent parfois de revenus propres, provenant d'un emploi à l'extérieur ou d'une activité domestique rémunérée qui leur procurent une certaine indépendance. L'avenir est, ici, à la décohabitation, ce qui illustre un plus grand relâchement des liens de solidarité entre les frères. Seul, le sens du devoir peut maintenir la cohabitation verticale.

En matière de fécondité, les comportements tendent vers une limitation des naissances sans que les efforts ne portent réellement leurs fruits, en raison de la stratégie opposée de l'épouse ou plus simplement de la pression de la belle-mère. Il faut y ajouter la méconnaissance des possibilités de contraception et la difficulté d'accès à l'information qui empêchent une planification réelle de la fécondité. La gestion domestique est assurée, principalement, par le revenu de l'époux, celui de l'épouse n'étant qu'un appoint. C'est sur elles que reposent toutes les tâches domestiques, mais on peut penser que l'aide de la parenté est beaucoup plus sollicitée ici. De même que la possibilité de sortir à l'extérieur (courses, visites, démarches administratives ...) donne une plus grande souplesse à l'organisation domestique, même si les sorties continuent d'obéir au principe de la **ḥurma**.

Les valeurs accordées à l'intimité du foyer sont importantes, surtout lorsque le couple réside loin des parents. Tout se passe comme si la relation conjugale ne pouvait s'épanouir qu'en dehors du contrôle de la parenté. Mais, la barrière de l'intimité domestique reste infranchissable pour les amis ; ce qui contribue à l'isolement du couple et au maintien de liens avec la famille.

c - Le modèle conjugal

Ce modèle se caractérise par un certain nombre de ruptures avec les deux modèles précédents. Il s'agit ici d'une génération nouvelle, dont la trajectoire est différente de celle des parents. Imprégnée d'une culture francophone, essentiellement véhiculée par l'école où le principe de l'égalité des sexes est une valeur acquise, elle aspire à un épanouissement affectif et sexuel contradictoire avec les valeurs de pudeur et de dissimulation des sentiments propres à la culture familiale traditionnelle. Ce qui la porte à une certaine rébellion contre l'institution familiale, qui peut déboucher sur une prise de conscience politique.

Le passage par l'université, comme espace mixte particulier, constitue une première rupture, qui va se traduire par une expérience sentimentale et parfois sexuelle déterminante pour le choix du conjoint. Cette expérience peut être incomplète ou frustrante, en raison d'une socialisation familiale traditionnelle, mais ses effets sont irréversibles sur le choix du conjoint. Ce dernier est libre et se fonde sur une fréquentation préalable, plus ou moins longue, qui donne aux futurs époux l'occasion de mieux se connaître et de s'aimer. Lorsque l'engagement est assez fort, les rapports sexuels peuvent précéder le mariage, mais ils ne sont consentis par la future épouse que comme une marque de confiance à l'égard du futur mari.

Dans ce modèle, ce n'est pas tant l'amour qui justifie l'engagement dans le mariage (même s'il en est parfois à l'origine) qu'une certaine complicité nécessaire pour affronter un environnement social et familial hostile. C'est parce que le mariage est le seul cadre qui permette de réaliser une certaine idée du bonheur, que les individus s'y engagent. C'est moins un attachement à l'institution en elle-même qu'une façon de se servir de l'institution pour protéger leur bonheur. Le couple devient ici, le laboratoire de nouvelle idées sur le rapport entre les deux sexes et sur la relation conjugale.

L'opposition au caractère institutionnel du mariage se traduit par la volonté de simplifier le cérémonial de la fête et d'ignorer tout le rituel qui consacre les mariages traditionnels. La dot n'est plus au centre des échanges. Lorsqu'elle subsiste, elle n'a plus qu'une valeur symbolique, sorte de concession aux parents. L'esprit d'indépendance à l'égard des parents se manifeste d'abord dans la volonté de prendre en charge toutes les dépenses, comme s'il s'agissait d'enlever aux parents l'illusion que c'est leur fête. Mais cet esprit se manifeste aussi dans le refus de cohabiter avec eux ou, lorsque la nécessité l'exige, d'écourter leur séjour parmi les parents. Ici, le cordon ombilical est coupé et la belle-mère ne peut plus avoir prise sur sa bru. Les rapports avec les parents ne se définissent plus en termes de devoirs, mais en termes d'affection. Le rapprochement avec la parenté de l'épouse est le signe que les liens du sang ne sont plus suffisants pour définir la solidarité familiale.

Le modèle de fécondité se caractérise par une certaine rationalité, dans la mesure où il y a prévision de l'avenir prenant en compte non seulement les moyens économiques mais aussi, les contraintes de la carrière des deux conjoints. Est prise en compte aussi la qualité de la reproduction qui justifie aussi bien une limitation du nombre d'enfants que leur espacement. D'où le souci d'une contraception soigneusement adaptée qui soit efficace, tout en préservant la santé de l'épouse.

L'enfant représente une richesse indéniable, dans la construction de la solidarité conjugale. Il est au centre du mouvement de repli domestique et contribue à faire de la vie d'intérieur une fête permanente. Mais cette sur-valorisation du "chez soi" est le résultat d'un refus des espaces publics qui continuent de fonctionner comme espaces d'exclusion pour les couples.

6 - Crise de l'institution matrimoniale

La valeur explicative des modèles n'est pas suffisante, si on ne prend pas en compte l'évolution des chiffres se rapportant au mariage. Or, derrière le chiffre rassurant de l'intensité de la nuptialité en Algérie (97% au recensement de 1987) se cache en réalité l'évolution de l'âge moyen au mariage qui augure d'une crise véritable de l'institution. Cet âge se situe aux environs de 27 ans, pour les hommes et de 24 ans, pour les femmes. Pour certaines catégories sociales, comme les cadres, notre enquête a révélé que cet âge se situait autour de 35 ans. Cette évolution, qui réjouit nos démographes, parce qu'elle constitue réellement un facteur objectif de limitation des naissances, ne dit pas tout le drame de ceux ou celles qui ont atteint un âge où on ne peut plus se marier. Les statistiques ne peuvent pas recenser de tels faits parce que, pour établir le célibat définitif, il faudrait attendre que la cohorte de gens qui sont en âge de se marier arrivent au terme de leur vie.

Une petite enquête, au niveau du personnel de l'Université de Constantine, montre que sur l'ensemble de 1.407 enseignants, 350 d'entre eux (dont 209 hommes et 141 femmes) sont encore célibataires ; autrement dit, 25%. En supposant que l'âge moyen de ces enseignants est la trentaine, on se rend compte de l'ampleur du phénomène. S'il est connu qu'un âge tardif n'est pas un handicap au mariage pour les hommes, il n'en est pas de même du tout pour les femmes dont la valeur sur le marché dépend aussi de leurs possibilités d'être fécondes. Or, tout retard dans le mariage entame sérieusement leur période féconde et les rend ainsi indésirables.

Il est vrai que ce célibat touche beaucoup plus de femmes qui ont atteint un niveau d'instruction supérieur, sanctionnant ainsi leur désir d'émancipation. Mais elles sont victimes aussi de la règle du mariage de haut en bas qui veut que les hommes préfèrent se marier avec des femmes moins âgées et moins instruites qu'eux. Bien que l'écart d'âge entre époux se soit véritablement réduit (la moyenne tourne autour de 5 à 6 ans) le principe reste le même : assurer par une différence d'âge et de niveau, les conditions d'exercice de l'autorité maritale.

Mais il serait faux de croire que le célibat ne touche que les femmes d'un niveau d'instruction supérieur. Les chiffres manquent pour en donner un tableau précis, mais en réalité toutes les catégories sociales sont touchées. L'explication la plus évidente semble être la difficulté de réunir les conditions matérielles du mariage : dot mais aussi logement et dépenses inconsidérées pour la fête. Le logement en particulier, représente un obstacle de taille pour se marier en raison du fait qu'il est devenu une exigence minimale du point de vue de l'épouse, qui vise ainsi à se prémunir de toute volonté de domination de la belle-mère.

L'explication réside aussi dans la difficulté de se rencontrer, résultat d'une plus grande perturbation et d'une absence de lieux de rencontre entre les deux sexes. Si, comme on l'a souligné plus haut, les femmes répugnent de plus en plus à se marier par le biais de la parenté, on comprend qu'elles aient du mal à se placer et encore moins à faire un mariage d'amour.

Ainsi donc, la difficulté de se marier vient s'ajouter à la facilité de divorcer pour amplifier la crise de l'institution matrimoniale. Peut être que le premier fait n'est pas sans rapport avec le second puisque l'échec des autres est souvent à l'origine du refus de s'engager dans le mariage chez une grande partie des femmes instruites.

Toujours est-il que le divorce n'a plus l'effet régulateur que lui prête Ph. Fargues. Il apparaît de plus en plus comme l'expression d'un conflit à travers lequel les femmes font valoir leur refus de la polygamie en même temps que la garantie d'une vie conjugale éloignée des contraintes de la parenté. Les chiffres le confirment. La polygamie est réduite à un îlot social : à peine 2 % de l'ensemble des mariages.

Quant aux divorces, si on les compare sur la longue durée, on peut parler d'effondrement. Ph. Fargues nous donne le taux de 30% pour les années 1930, alors qu'il descend à environ 15% pour la décennie écoulée. Ces chiffres sont bien entendu sujet à caution, ne serait-ce que pour le mode de calcul : s'agit-il réellement des divorces qui correspondent aux mariages qui les ont produits, ou bien s'agit-il des divorces enregistrés dans l'année et qui ne sont pas forcément liés aux mariages qui se sont déroulés la même année ? Quelque soit la fiabilité de ces chiffres on peut les prendre comme indicateur d'une tendance qui est nettement perceptible dans certains milieux sociaux comme les cadres, professions libérales et certaines familles de notables. L'enquête de Von Allmen confirme que ces milieux répugnent au divorce et sont partisans d'une cellule familiale monogame stable.

Mais il faut avouer que beaucoup de facteurs contribuent à décourager le recours au divorce, dont le moindre n'est pas le prix du remariage. Or, un remariage, même s'il n'a jamais l'éclat du premier, suppose le paiement de la dot, des compensations matrimoniales et de tous les frais que nécessite la fête. Tous ces éléments ne permettent pas encore de conclure à une stabilité du mariage. Les alliances approximatives et l'influence de la parenté jouent beaucoup dans la dissociation des liens conjugaux. S'il faut y ajouter la complicité du législateur qui donne tout pouvoir au mari pour rompre de façon unilatérale le lien conjugal, on peut conclure à la fragilité de l'institution matrimoniale. Mais peut être faut-il noter que, malgré les dispositions du code de la famille, la tendance à la répudiation est nettement ralentie et que la femme elle-même est parfois demandeur de divorce.

Conclusion

Jusqu'à aujourd'hui, le divorce faisait figure de fléau social principal aux yeux de tous. Or, le thème du célibat commence progressivement à se substituer à lui. Ce sont les islamistes qui se sont emparés du thème, pour se lamenter sur le sort d'une jeunesse désespérée de ne pouvoir fonder un foyer ; ce que les événements d'Octobre 1988 ont largement révélé[2] . Les islamistes vont plus loin, en organisant de véritables filières matrimoniales, réalisant ainsi, à travers l'élargissement de leur clientèle, un profit politique.

Mais on se doute bien que la solution des islamistes est en réalité la négation de ce qui nous apparaît comme de nouvelles exigences à l'égard du mariage. Le célibat n'est certes pas vécu comme une liberté, en raison de nombreux blocages que connaît notre société, mais le refus d'un certain type de mariage indique aussi que ce dernier est devenu trop étroit pour contenir tout le désir de vivre. C'est probablement ainsi (mais les enquêtes de terrain manquent pour le confirmer) qu'il faut interpréter le refus des mariages arrangés, de la dot et de toutes les dépenses rituelles qui lui sont liées. Le courrier du coeur que la presse publie régulièrement témoigne suffisamment de l'exigence de faire correspondre le désir de se marier avec le sentiment d'aimer. Encore faut-il que le législateur puisse tenir compte de cette nouvelle réalité, pour ne pas être hors jeu.

BIBLIOGRAPHIE

Allmen, Von M., 1983. *Mariage et familles. L'évolution des structures familiales en Algérie*. Thèse de 3ème cycle, EHESS, Paris.

Allmen, Von M., 1985. "Les rapports de parenté comme rapports de production symbolique", *Actes de la Recherche en sciences sociales*, n° 59 Sept. pp. 49-60.

Chaulet, C., 1987. *La terre, les frères et l'argent*, Alger OPU, 3 tomes.

Fargues, PH., 1986. "Le monde arabe : la citadelle domestique", in *Histoire de la famille*, Tome 2, A. Colin.

Lacoste-Dujardin, C., 1976. *Un village Algérien, structure et évolution récente*, SNED, Alger.

Levis-Strauss, C., 1986. *Préface à l'histoire de la famille*, Armand Colin, Paris.

Peneff, J., 1981. *Industriels algériens*, Paris Ed. du CNRS.

Roussel, L., 1980. "La crise de la famille", In *La recherche*, no.111, Mai.

Segalen, M., 1986. " La révolution industrielle du prolétaire au bourgeois", in Collectif, *Histoire de la famille*, Tome 2, A. Colin.

NOTES

1- Voir les Paramètres démographiques, ONS, 1981.

2- Lors de la rencontre gouvernement-partis, Août 1991, le Président du mouvement Hamâs, Mr. Nahnah, a longuement disserté sur le sujet.

FAMILLE ET DÉVELOPPEMENT
À FÈS*

Driss GUERRAOUI

*L*es mutations que connaît la ville de Fès produisent des transformations au triple niveaux des activités économiques de l'emploi, de l'occupation de l'espace urbain et de l'équilibre entre les ressources et la population. Ces mutations affectent incontestablement la structure, le fonctionnement et les stratégies des familles. Demeurée la composante essentielle de la vie sociale et restant la cellule de base de l'organisation de la vie économique de ses membres, la famille se trouve de ce fait devant de nouvelles contraintes qui l'appellent à apporter de nouvelles réponses en conformité avec les données que ces transformations imposent. Aussi, se doit-elle d'inventer de nouvelles pratiques économiques et de réajuster son comportement au mieux de son adaptation aux mutations en cours, de sa reproduction dans le temps et de la préservation des intérêts de ses membres.

Cet itinéraire que traverse la famille à Fès interpelle le chercheur à plus d'un titre. Quel en est le contenu ? Quels en sont les éléments invariants et les sources des changements ? Quelles formes d'organisation de la famille sécrète-t-il ? A quelle logique obéit-il ? Quels en sont les objectifs? Quels en sont les obstacles et quelles perspectives offre-t-il aux réseaux familiaux d'aujourd'hui ?

C'est en tenant compte de cette problématique que nous proposons d'analyser et d'évaluer les mutations du rôle économique de la famille à Fès. Cependant, si dans son acception la plus courante et la plus communément admise, l'économique consiste avant tout à produire des richesses, à les répartir et à les dépenser, l'étude de la dynamique économique et des stratégies familiales à Fès nous suggère de nouvelles interrogations :

Quelles sont les activités qui concourent à la formation du revenu de la famille à Fès ?

Ce revenu provient-il d'une ou de plusieurs activités ? Celles-ci sont-elles exercées de façon permanente ou occasionnelle? Quelles en sont les formes d'expression (formelles ou informelles) ? Procurent-elles l'essentiel du revenu de la famille ? A défaut, quelles sont les autres sources ? La famille les reçoit-elle à titre principal ou épisodique ?

Quelles en sont les formes (monétaires ou non monétaires) et la nature (rente, retraite, aide, transferts divers) ? La nature des activités à Fès pousse-t-elle la famille à adopter un comportement économique spécifique ? Conditionne-t-elle la dimension de la famille et la répartition des rôles en son sein ?

Réciproquement, la dimension de la famille, l'âge, le sexe, l'origine géographique et le niveau d'instruction de ses membres ont-ils un impact sur la rationalité économique du groupe familial ? La nature de ces activités impulse-t-elle des stratégies familiales qui lui correspondent ? Quels réseaux de solidarités sociales ces stratégies offrent-elles à la famille et à ses membres ?

La réponse à ces interrogations vise à atteindre deux objectifs :
- repérer les différents rôles économiques de la famille à Fès;
- tester l'importance de la filiation dans la création et l'accumulation des richesses de la famille, et réciproquement évaluer l'impact de la nature des activités économiques sur les stratégies familiales. L'ambition modeste est de déboucher sur la construction d'une typologie du comportement économique de la famille à Fès. Pour ce fait nous partons d'une définition de la famille "comme étant constituée par les membres du ménage qui ont entre eux un lien de sang de mariage ou d'adoption, non compris les membres qui ne sont pas apparentés" (Nouijai, A. et Lfarakh, A. 1985). Dans cette perspective et conformément aux données de l'enquête qui ont révélé la prépondérance des ménages familiaux, nous parlerons dans ce texte indistinctement de la famille et du ménage lors de la présentation des résultats de l'étude.

Par ailleurs, au regard des informations dont nous disposons pour l'heure et au regard du caractère pilote de l'étude, il serait bien prétentieux de satisfaire à toutes les curiosités du lecteur et de lui offrir un travail achevé. De plus, en l'absence de travaux antérieurs sur l'itinéraire économique des familles à Fès, il ne nous a pas été possible de mener une étude diachronique. Aussi, allons-nous privilégier l'instantané sur l'évolutif et allons-nous rendre compte de ce qui existe plus que de sa genèse. On ne saurait signaler enfin que cette étude nous permettra surtout de tracer les contours des principales interrogations que soulève une problématique portant sur le comportement économique de la famille. Sphère de la connaissance complexe et relativement peu explorée au Maroc, l'analyse des stratégies économiques de la famille nous impose donc prudence et circonspection.

1 - Fès, profil d'une mutation

L'analyse du comportement et des stratégies économiques de la famille à Fès présuppose la saisie de la dynamique globale qui caractérise le développement économique de la ville de Fès dans son ensemble. Nous partons ici de l'hypothèse selon laquelle il y a un lien de cause à effet entre le comportement économique de la famille et l'environnement macro-économique dans lequel elle évolue. Une telle hypothèse est de nature à nous permettre d'apprécier à leur juste valeur les données essentielles que nous a révélées l'enquête sur la famille à Fès et que corroborent les principales conclusions auxquelles a abouti notre étude. En effet, l'observateur objectif de la réalité économique de la ville de Fès est frappé par les mutations que connaît la ville au niveau de son espace urbain et de la nature de ses activités.

A - LA DYNAMIQUE URBAINE

Au niveau de l'espace urbain, les mutations que connaît la ville de Fès s'orientent vers l'accomplissement de la rupture entre un bâti ancien, élément essentiel de l'héritage arabo-musulman en attente de sa conservation et de sa rénovation, et un bâti, certes moderne par certains aspects (habitat fonctionnel, et industrialisation relative du bâtiment) mais précaire par bien d'autres (fort taux d'occupation des logements et des pièces d'habitations, non couverture des besoins en équipements de base).

Sur un fond d'explosion urbaine nourrie par un important mouvement d'immigration essentiellement rurale, l'équilibre entre la population et l'espace urbain est rompu depuis fort longtemps. La conséquence en est une surdensification de la médina, d'un côté, et une urbanisation périphérique non structurée, de l'autre. Le corollaire de cette réalité urbaine consiste en l'exacerbation de la crise du logement à Fès, une crise autour de laquelle se sont érigées des stratégies résidentielles familiales dont les formes dominantes sont un fort taux d'occupation du cadre bâti, une forte mobilité résidentielle et le développement de l'habitat spontané.

Au regard de la spécificité de cette dynamique urbaine, la famille constitue l'institution la plus appropriée pour assurer la transition urbaine et l'apprentissage de l'urbanité pour les nouveaux arrivants, appelés à accéder au rang de nouveaux citadins. En effet, l'enquête révèle que les chefs de ménage ayant élu domicile chez un membre de la famille lors de leur première arrivée à Fès dépassent de peu 30% du total des ménages. Une telle pratique urbaine ne surprend guère puisque quatre ménages sur cinq déclarent indispensable d'apporter un soutien à un membre de la famille en cas de besoin ou de crise de logement ici.

B - LA DYNAMIQUE ÉCONOMIQUE

Au niveau des activités productives, les mutations que connaît le développement économique de la ville de Fès s'inscrivent d'un côté dans le cadre d'une "absorption" progressive de l'artisanat, une des principales activités de la ville, par un processus de semi-industrialisation du secteur reléguant une partie des artisans à un statut de quasi-sous-traitant avec une double conséquence au niveau de l'emploi et de la distribution des rôles et des revenus au sein de la médina; de l'autre, dans le cadre d'un développement industriel qui, hormis quelques exceptions, parce que orienté vers des stratégies puisant une part importante de leurs bases financières et décisionnelles hors de la ville, n'arrive pas encore à doter la région d'un système productif intégré à effets d'entraînement bénéfiques, notamment en terme d'emplois industriels. La nature de ces mutations explique amplement certains faits économiques dont les incidences sur la famille à Fès sont d'une grande importance :

- Pourquoi Fès a-t-elle tendance à exercer une très forte attraction sur les ruraux plutôt que les industriels, et ce malgré les avantages divers offerts par l'Etat dans le cadre de la régionalisation industrielle et malgré l'état d'avancement du projet de développement rural intégré Fès-Karia-Tissa dont l'un des objectifs est d'agir dans le sens d'une réduction du taux d'exode rural vers la ville? [2] Et pourquoi Fès continue-t-elle à être une ville d'artisans, de commerçants, de fonctionnaires et de l'informel, malgré l'existence d'unités industrielles performantes et malgré l'extension, somme toute relative, du secteur industriel depuis 1973 ?[3]

Ces faits sont autant d'éléments qui aideront à apporter un éclairage sur le comportement et les stratégies économiques de la famille à Fès et la configuration que prennent leurs activités.

2 - Activités et composantes économiques de la famille à Fès.

Analyser le comportement économique de la famille présuppose l'étude des activités exercées par ses membres ; car c'est autour des exigences économiques liées à la nature des activités que les divers réseaux familiaux se tissent pour apporter les réponses les plus appropriées soit au déséquilibre entre les besoins et les ressources de la famille, soit à la stratégie d'extension du patrimoine économique familial.

L'effet des activités exercées permet également d'en évaluer l'impact sur des variables aussi importantes que la taille de la famille, la répartition des rôles en son sein et la gestion des autres dimensions de la vie économique de ses membres (entreprendre, trouver un emploi, bénéficier d'un soutien, gérer les dépenses).

A - L'EFFET ACTIVITÉ

Les données sur la nature des activités en liaison avec le comportement économique de la famille permettent de révéler un constat majeur : à Fès, un actif occupé soutient économiquement en moyenne 3 personnes ; ce qui contribue à limiter l'extension d'autres formes de solidarités entre les membres de la famille. Le taux de chômage déclaré (20%) atteint d'ailleurs un niveau supérieur à la moyenne nationale (16,3% en 1989). Comparativement aux données du recensement général de la population et de l'habitat de 1960, 1971 et 1982, l'enquête Famille à Fès a montré que les taux d'activité et de chômage ont connu en 1990 une irrégularité pour le premier et une détérioration pour le second.

TABLEAU 1
Population résidente à Fès selon le type d'activité

Type d'activité	Pourcentage
Actif occupé	24.0
Chômeur déjà travaillé (CH1)...........................	2.0
Chômeur jamais travaillé (CH2)........................	4.0
Femmes au foyer	20.0
Ecolier/Etudiant	25.0
Retraité/Rentier	2.0
Vieillard/Infirme/Grand malade........................	3.0
Jeune enfant	17.0
Autres	2.5
N.D...	0.5
TOTAL	**100**

Source : CERED, Enquête famille à Fès, 1990.

TABLEAU 2
Taux de chômage et d'activité à Fès
selon le sexe (en %)

	Masculin	Féminin	Total
-Taux d'activité (tous âges confondus)........................	45	16	30
-Taux de chômage..............	17	30	20

Source : CERED, Enquête Famille à Fès, 1990.

En effet, si le taux d'activité est passé de 30% en 1960, à 28,5% en 1971, à 32% en 1982 et à 30% en 1990, le taux de chômage est passé de 13% en 1960 à 20% en 1990. L'ampleur quantitative du niveau de chômage révélée par les données trouve sa raison d'être dans deux causes principales[4]:

- Une forte croissance du volume de la population active par rapport aux taux de création de l'emploi par le système productif local, du fait et de la dynamique démographique interne et du fort taux d'exode rural qui exacerbe les déséquilibres du marché du travail urbain ;

- Et le désengagement de l'Etat de sa fonction de pourvoyeur traditionnel d'emplois.

Si la conjonction de ces facteurs explique en grande partie pourquoi le plein-emploi est difficile à réaliser à l'échelle de chaque famille et, par extension, à l'échelle de toute la ville, la nature de la répartition de la population résidente à Fès selon le type d'activité (tableau 1) constitue un facteur supplémentaire amplifiant les déséquilibres constatés. En effet, les données de l'enquête montrent que près d'un habitant sur quatre est un scolaire ou un préscolaire, mobilisant ainsi a priori une grande partie des efforts de la famille et de la collectivité.

Ce phénomène accroît la charge humaine à supporter par l'économie familiale et rend un peu plus complexe la gestion de l'équilibre entre la population et les ressources. L'analyse de la composition des ménages dont aucun membre n'est actif, selon la dimension de ces ménages, est très édifiante à ce sujet.

Tableau 3
Ménages dont aucun membre n'est actif
selon la dimension des ménages

	Nombre de personnes vivant dans le ménage			
	1 à 3	4 à 6	7 et +	Total
-Proportion des ménages inactifs en %	59	24	17	100

Source : CERED, Enquête Famille à Fès, 1990.

Ainsi, la tendance à la diminution du nombre de ménages n'ayant pas de membres actifs se confirme régulièrement, passant de 59% (ménage de 1 à 3 personnes) à 17% (ménage de 7 personnes et plus). Ce qui dénote de l'existence d'une relation de cause à effet entre l'existence d'une population de ménages à forte densité et la croissance du soutien économique actif (CERED,1990). Cette corrélation explique largement la tendance, révélée par l'enquête, à l'augmentation des ménages de taille intermédiaire (4 à 6 personnes) et de taille élevée (7 et plus) dont la proportion est passée respectivement de 35,9% en 1960 à 10,8% en 1990 et 19% à 32% durant la même période. Une telle évolution constitue en soi un obstacle majeur à toute politique démographique évoluant dans un contexte économique marqué par l'aggravation de la situation du chômage. Ce contexte transparaît par ailleurs dans la configuration que prend le marché local du travail, au sens où la pression sur les opportunités d'emploi produit une fragilisation de la situation des catégories qui évoluent à la marge du salariat.

Les données montrent que si les salariés constituent l'une des catégories relativement la plus importante, un peu plus du cinquième des actifs occupés le sont de façon saisonnière et occasionnelle, dont près de 70% sont des indépendants travaillant à domicile et des indépendants ambulants. Or, au vu des données dont nous disposons, la seule catégorie où la femme tient un rôle véritable en quantité relative selon la situation dans la profession est celle du travail indépendant à domicile, soit 42% du total des indépendants à domicile.

Tableau 4
Répartition des actifs occupés selon la régularité
dans la profession principale en pourcentage

	Régularité dans la profession			
	Permanent	Saisonnier	Occasionnel	Total
-Employeur indépandant.....	87	2	11	100
-Indépendant avec local.......	89	-	11	100
-Indépendant à domicile......	71	-	29	100
-Indépendant ambulant ou sans local.............................	53	9	38	100
-Salarié.............................	83	1	16	100
-Aide familial.....................	74	-	26	100
-Apprenti............................	75	-	55	100
Ens. des actifs occupés........	79	2	19	100

Source : CERED, Enquête Famille à Fès, 1990.

Tableau 5
Répartition des actifs occupés selon la situation principale
en pourcentage

	Situation dans la profession
- Employeur indépendant	5
- Indépendant avec local	8
- Indépendant à domicile	5
- Indépendant ambulant ou sans local ..	11
- Salarié	63
- Aide familiale	1.5
- Apprenti	6
Total	**100**

Source : CERED, Enquête Famille à Fès.

Ce constat trouve sa justification dans l'importance du secteur de l'artisanat dans l'économie de la cité, dans l'aptitude du travail féminin indépendant à domicile à répondre aux besoins de ce type d'activité et dans son adaptabilité aux contraintes socioculturelles propres au groupe familial traditionnel. L'importance relative des indépendants à domicile, ambulants ou sans local tel qu'en soit le sexe et quelle que soit la nature de leur statut dans la profession, est à mettre en rapport avec une donnée nouvelle révélée par l'enquête, à savoir la part relativement modeste des actifs occupés travaillant dans une entreprise appartenant à la famille.

Tableau 6
Répartition des actifs occupés travaillant dans
une entreprise familiale (en %)

	A.O. travaillant dans une entreprise appartenant à la famille	A.O. ne travaillant pas dans une entreprise appartenant à la famille	Total
Proportion des actifs occupés (en %)	6	94	100

Deux faits concomitants permettent d'expliquer ce phénomène :
- Il est l'expression de la résurgence et du développement d'un comportement entrepreneurial autonome par rapport à la famille, tendance confirmée d'ailleurs par l'enquête (Cf. tableau n° 6). Il exprimerait une

165

certaine évolution dans les mentalités des familles résidentes à Fès par rapport à la gestion de l'entreprise, cette évolution s'inscrirait dans une rationalité puisant de la main d'oeuvre sur le marché du travail plus sur la base des qualifications souhaitées que sur celle de la parenté.

- Et il est le signe de l'existence de stratégies familiales basées sur plusieurs activités de ses membres dans la perspective de multiplier leurs sources de revenus.

Ces stratégies sont d'autant plus indispensables que le niveau des rémunérations est faible et la situation dans la profession principale est précaire.

B - L'EFFET TAILLE

Les nouvelles contraintes économiques imposées à la famille à Fès ont eu un effet sur sa taille. Aussi, assistons-nous à un recul progressif de la famille élargie au profit d'une famille sinon nucléaire du moins d'une taille incluant dans des proportions modestes la parentèle proche. Ainsi, les ménages nucléaires composés soit du chef de ménage, du conjoint et éventuellement des enfants célibataires, soit du chef de ménage et de ses enfants célibataires regroupent l'essentiel (69,7%) des familles à Fès. Cette évolution se trouve corroborée par la répartition des ménages selon le nombre de noyaux familiaux, co-résidents, qui indiquent que légèrement plus de 2 ménages sur 3 sont des ménages composés d'un seul noyau familial.

Tableau 7
Composition des ménages familiaux résidents à Fès selon le lien de parenté avec le chef de ménage

Composition des ménages	effectif des ménages en %
- Ménages nucléaires	69.7
- dont chef de ménage + conjoint.	11.3
- dont chef de ménage + conjoint + enfants célibataires	80.1
- dont ménages mono parentaux	8.6
- Ménages complexe	30.3
Total.........	**100.0**

ource : CERED, Enquête Famille à Fès, 1990.

Tableau 8
Composition des ménages à Fès
selon le nombre de noyaux familiaux co-résidents (en %)

	Nombre de noyaux familiaux co-résidents					
	1	2	3	4	5+	Total
Proportion des ménages en %	71.5	18.5	7.5	1.5	1.0	100
Cumul en %	71.5	90	97	99	100	

Source : CERED, Enquête Famille à Fès, 1990.

Les contraintes économiques, notamment la crise du logement, ne sont pas étrangères à cette réalité. L'un des signes révélateur de cette crise est entre autres, mais particulièrement, l'ampleur que prend l'habitat clandestin à Fès, puisqu'il couvre une population non négligeable, faisant ainsi qu'une bonne partie de l'habitat est non réglementée, et donc forcément précaire.

Par ailleurs, cette tendance à la consolidation de la famille nucléaire ne veut nullement dire que le nombre de personnes vivant dans le ménage diminue. Bien au contraire, l'évolution va dans le sens de la prépondérance des ménages de taille intermédiaire (4 à 6 personnes) et ceux de taille élevée (7 personnes et plus), comme le confirme les résultats de l'enquête :

Tableau 9
Répartition des ménages selon la taille

			Taille des ménages	
	1 à 3	4 à 6	7 et +	Total
- Proportion des ménages en %	27.46	40.34	32.20	100.00

Source : CERED, Enquête Famille à Fès, 1990.

Un autre constat parfaitement confirmé également par l'enquête mérite d'être relevé, il s'agit du nombre relatif d'actifs occupés par ménage qui a tendance à diminuer à mesure que la taille du ménage s'accroît.

Tableau 1O
Proportion des actifs occupés selon la taille du ménage

Taille du ménage	1	2	3	4	5	6	+7
-Proportion des actifs occupés en %	38	36	30	26	26	22	21

Source : CERED, Enquête Famille à Fès, 1990.

Si ces données montrent que l'augmentation de la proportion des familles sans actifs apparaît de façon plus claire, il n'en reste pas moins vrai qu'il fallait prendre ces résultats avec beaucoup de précaution. Il est très probable que les chefs de ménages enquêtés aient, pour des raisons sociologiques et économiques évidentes (crainte de ne pas pouvoir bénéficier d'avantages divers ou de subir des pénalités diverses), procédé à des déclarations sous-estimant le nombre réel d'actifs. Ce qui produit naturellement, à l'échelle de la famille, un allégement du déséquilibre entre les besoins et les ressources par un usage de la taille comme un moyen de diversification des opportunités de travail, fussent-elles illégales.

C - L'EFFET INSTRUCTION

L'analyse de la variable instruction est d'un grand intérêt pour l'écono-miste, car elle s'insère dans le cadre de stratégies familiales découlant souvent d'une rationalité économique finalisée. De ce fait, l'instruction permet d'évaluer ses effets multiples sur le comportement économique de la famille. Ceci est d'autant plus vrai qu'elle a des incidences sur la capacité de la famille à valoriser ses ressources humaines et sur la réalisation de l'équilibre entre les besoins de ses membres et leurs res-sources, et ce, en agissant sur des variables aussi déterminantes que les variables démographiques et celles ayant trait à l'activité. A ce sujet, les études du CERED révèlent, qu'en règle générale, si le niveau d'instruction conditionne la nature des activités exercées, celles-ci restent tributaires de la durée de la scolarisation, des qualifications qui la sanctionnent et du milieu familial (CERED, 1989). Par conséquent donc, l'instruction ne garantit pas en tout lieu l'insertion dans la vie active. L'enquête sur la famille à Fès révèle quant à elle un autre aspect de cette problématique. Cet aspect réside dans l'importance des réseaux familiaux dans la capitalisation de l'avantage comparatif que procure l'instruction.

Tableau 11

Population active occupée selon le niveau d'instruction et modalité d'obtention du travail

Modalité d'obtention du travail	Niveau d'instruction					
	Aucun	Présco. et coranique	Prim.	Secon.	Supér.	Ens. des niveaux
Bureau de placement ...	1.3	-	0.7	0.9	8.5	1.2
Contact des employeurs...	17.6	28.9	13.2	9.1	7.6	15.2
Moqaf, qiyada...	5.8	8.1	1.5	1.3	-	3.7
Journaux...	-	-	1.6	11.3	26.3	3.2
Visite des clients...	9.4	-	0.7	2.2	-	4.6
Amis...	17.6	41.9	23.5	11.7	-	19.5
Famille...	23.3	7.1	34.8	19.6	6.3	23.4
Autres...	25.0	14.0	24.0	43.9	51.3	28.3
Total...	**100**	**100**	**100**	**100**	**100**	**100**

Source : CERED, Enquête Famille à Fès, 1990.

On constate en effet une prédominance massive de l'obtention du travail par la famille, les amis et autres (72,1% pour l'ensemble des niveaux). Ce comportement est d'ailleurs valable pour tous les niveaux d'instruction ; car pour les niveaux "secondaire cycle I et cycle II et supérieur" il semble bien que le pourcentage élevé déclaré "autres" cache en réalité une certaine réticence à citer la famille ou les amis, particulière- rement pour le niveau supérieur (51,3%). A noter , cependant, deux niveaux, d'ailleurs quantitativement les moins importants, (préscolaire, coranique et supérieur) qui recourent plus largement à des modes d'embauche relevant du   fonctionnement classique du marché du travail

169

(contact des employeurs : 28,9% pour les niveaux "préscolaire et coranique" et journaux, 26,3% pour le niveau "supérieur").

Aussi paradoxale que cela puisse paraître, le rôle des bureaux de placement est insignifiant, sauf pour le niveau "supérieur" (8,5%) ; celui des journaux n'existe que pour les niveaux secondaire du premier cycle et du second cycle (11,3%) et supérieur (26,3%). Le contact des employeurs est présent de manière variée mais toujours significative à tous les niveaux d'instruction. La catégorie "autres" reste globalement la plus importante, ce qui, sur le plan méthodologique pose un certain nombre de problèmes au regard de l'interprétation des données de l'étude. Cependant, comme nous l'avons signalé auparavant, cela est dû essentiellement à la spécificité des catégories relevant des niveaux "secondaire et supérieur", qui à peu près de 50% ne souhaitent pas, pour des raisons sociologiques évidentes, déclarer, entre autres et particulièrement, les réseaux familiaux comme modalité d'obtention du travail. Signalons enfin que l'importance de la famille, des amis et "autres" dans l'insertion dans la vie active est décisive aussi bien pour les ménages nés en milieu urbain que pour ceux nés en milieu rural.

A la lumière de ces données, l'origine géographique des chefs de ménage ne semble donc pas produire un comportement différencié par rapport aux modalités d'obtention du travail, si ce n'est que la catégorie "amis" est la modalité dominante pour le rural et la catégorie "familiale" est la dominante pour l'urbain. Cela étant, ces pratiques spécifiques imprimées par l'origine géographique dénotent néanmoins l'existence de différentes formes de solidarités sociales à l'intérieur de la même famille et entre les familles à Fès.

Tableau 12
Répartition des ménages actifs occupés selon les modalité
d'obtention du travail et lieu de naissance du chef de ménage

Modalité d'obtention du travail	Lieu de naissance					
	Fès		Hors Fès		Total	
	Urbain	Rural	Urbain	Rural	Urbain	Rural
Bureau de placement ...	2	-	4	2	2	1
Contact des employeurs...	16	20	5	13	14	15.5
Moqaf, qiyada ...	4	7	-	5	4	6
Journaux...	6	-	9	1	6	0.5
Visite des clients.	4	4	9	-	5	1.5
Amis...	17	28	8	21	15.5	24
Famille...	22.5	9	33	15	24.5	13
Autres...	28.5	32	32	43	29	38.5
Total...	**100**	**100**	**100**	**100**	**100**	**100**

Source : CERED : Enquête Famille à Fès, 1990.

3 - Stratégies et réseaux de solidarités économiques

A - LES STRATÉGIES EN PRÉSENCE

Les stratégies familiales dépendent de plusieurs facteurs, dont les conditions économiques de la famille y occupent une place décisive. De ce fait, elles peuvent osciller entre la recherche de la seule survie du groupe familial ou l'extension de son patrimoine économique, et corrélativement, les réseaux de solidarité peuvent se limiter à un simple soutien moral et psychologique ou s'étendre à d'autre formes d'entraides familiales.

Le patrimoine de la famille que matérialisent ses sources de revenu de même que la nature de la profession exercée conditionnent donc les diverses formes de transferts qui s'opèrent entre les membres de la famille

171

et dictent les modalités de gestion du revenu familial. A ce sujet, l'enquête révèle que trois ménages sur quatre tirent leur source de revenu de leur activité professionnelle, une activité qui, parce que ne procurant pas l'essentiel du revenu familial, est relayée par diverses formes de transferts ; faisant ainsi que près d'un ménage sur six reçoit une aide monétaire ou en nature d'un membre de la famille ou de quelqu'un d'autre.

Tableau 13
Sources de revenu des familles à Fès et leur régularité

Source de revenu	Activ. profs.		Rente (M)		Retr. (N)		Aide		Aide		Autre		Total
	P	O	P	O	P	O	P	O	P	O	P	O	
Part (en %)	67	9	4	-	7	-	10	1	1	-	1	-	**100**

Source : CERED, Enquête Famille à Fès, 1990.

P = à titre principal

O = à titre occasionnel

M = Monétaire

N = Nature.

Tableau 14
Répartition des ménages selon les sources de revenu et leur régularité et l'envoi d'une aide monétaire ou en nature à des membres de la famille

Envoi aide monétaire ou en nature	Source et régularité en (%)			
	Activité Profes.		Autres (*)	
	à titre principale	à titre occasion.	à titre principale	à titre occasion.
Membre de la famille.	17	12.5	6.5	-
Quelqu'un d'autre....	3	-	-	-
Famille + autre......	0.5	0.5	-	-
Non	79.5	87	93.6	100
Total....	**100**	**100**	**100**	**100**

Source : CERED, Enquête Famille à Fès, 1990.
(*) Autres : Rente, retraite, aide monétaire, aide en nature et d'autres sources.

L'aide monétaire ou en nature reçue d'un membre de la famille représente donc la deuxième source de revenu des ménages à Fès (12% du total des ménages), soit une proportion légèrement plus importante que celle des retraites et des rentes prises ensemble (11% du total des ménages). Cette réalité doit être cependant relativisée. Car, sur 67% des ménages qui tirent à titre principal leur source de revenu d'une activité professionnelle, 17% seulement envoient une aide monétaire ou en nature à un membre de la famille et sur 4% des ménages dont la source principale de revenu est une rente, une retraite ou autres, 6,4% seulement envoient une aide monétaire à un membre de la famille. Ce qui confirme trois grandes tendances de la dynamique économique dans laquelle évolue la famille à Fès :

- Le déséquilibre ressource-population qui transparaît au niveau de la charge humaine à l'échelle de la famille (un actif occupé soutient économiquement 3 personnes). Ce qui met la famille dans l'incapacité objective d'apporter une aide (financière) significative à ses membres ;

- L'importance des groupes sociaux qui vivent à la marge du salariat et dont l'activité principale ne procure pas l'essentiel du revenu familial ;

- Et enfin, l'absence de mécanismes de redistributions institutionnels relayant la famille dans la réalisation de ses fonctions économiques traditionnelles.

La liaison source de revenu et les stratégies familiales permet, dans un tel contexte, d'expliquer également la répartition des rôles en matière de gestion des dépenses au sein de la famille. A ce niveau, l'enquête révèle que, d'une manière générale, dans près des 4/5 des cas c'est le chef de famille qui gère les dépenses du ménage et dans l'autre cinquième, c'est dans la quasi-totalité des cas l'épouse qui le fait. Cependant, la situation est assez différente selon la situation dans la profession.

Tableau 15

Répartition des ménages selon la personne qui gère les dépenses du ménage et la profession principale.

Profession principale	Personne qui gère les dépenses dans le ménage				
	C.M.	C.C.M.	E.C.M.	A.	Total
Personnel professions scientifiques libérales	74.6	22.4	-	3	100
Personnel commercial..	71.2	28.2	0.6	-	100
Personnel administratif	71.5	28.2	-	0.3	100
Travailleurs spécialisés dans les services..	87.3	10.4	1.8	0.5	100
Autres	74.6	18.4	3.1	0.9	100
Ensemble des professions	100	19.6	1.4	1.8	100

Source : CERED, Enquête Famille à Fès, 1990.
C.M.   : Chef de ménage
C.C.M. : Conjoint du chef de ménage
E.C.M. : Enfants du chef de ménage
A.   : Autres.

En effet, pour le personnel commercial et administratif c'est dans presque un cas sur trois que l'épouse gère les dépenses du ménage, alors qu'au contraire, pour les travailleurs spécialisés dans les services, ce n'est le cas que pour 10% des épouses seulement. Par conséquent, il y a là deux types de stratégies bien distinctes. Par contre, la catégorie des personnels des professions scientifiques et libérales reste atypique à cet égard, avec toutefois une légère tendance à faire gérer ses dépenses par une tierce personne au ménage. Ce qui confirme ainsi le lien de cause à effet entre la situation dans la profession principale et les modalités de gestion du reve-nu familial.

B. LES RÉSEAUX DE SOLIDARITÉ FAMILIALE

Les réseaux de solidarités au sein de la famille jouent à Fès un rôle stratégique dans les phases déterminantes de la vie de ses membres. Nous avons déjà pu remarquer combien ces réseaux constituent le canal le plus naturellement emprunté dans l'insertion dans la vie active et combien l'appartenance à ces réseaux procure un avantage comparatif à celui qui en use en cas de besoin ou de crise. Nous avons également montré la place centrale qu'occupe la famille dans l'apprentissage de l'urbanité et de l'activité pour les nouveaux migrants à Fès. Nous avons enfin noté comment la dimension de la famille, l'âge, le sexe et le niveau d'instruction de ses membres sont insérés dans le cadre de stratégies visant à répondre aux contraintes qu'imposent à la famille ses fonctions économiques principales. Tout en confirmant l'ensemble de ces formes de solidarité, l'étude en révèle d'autres :

Tableau 16
Opinion des chefs de ménages concernant diverses formes de solidarité familiales

Rôle de la famille	Opinion du chef de ménage (en%)		
	oui	non	Total
- Aide à trouver emploi salarié.....	58	42	**100**
- Aide financière à créer une entreprise.	40	60	**100**
- Entr. en cas de besoin ou crise....	80	20	**100**
- Assure garde, Educ. enfants	30	70	**100**
- Offre soutien moral et psychologique.	77	23	**100**

Ainsi pour quatre cinquième des chefs de ménages, la solidarité matérielle et morale avec la famille est une réalité. Seulement 20% des chefs de ménages n'accepteraient pas d'entraider des personnes de leur famille en cas de besoin ou de crise. Cette solidarité est encore majoritaire concernant l'aide apportée pour la recherche de l'emploi. Elle devient cependant nettement plus rare (40%) des cas seulement) lorsqu'il s'agit d'apporter une aide financière pour créer une entreprise, et tout à fait minoritaire (30% des cas) quand il s'agit d'assurer la garde et l'éducation des enfants de la parentèle proche. Plus révélatrices encore, les données concernant les solidarités familiales en liaison avec la profession principale.

Ces données, tout en confirmant la tendance précitée, montrent que les réseaux familiaux transcendent le statut social des individus et des groupes pour homogénéiser la collectivité dans son ensemble autour d'un certain nombre de priorités en matière d'entraide, et cela en conformité avec les nouvelles réalités économiques et sociales de la cité. Ces priorités sont, par ordre d'importance, toutes professions confondues, l'emploi, l'entretien en cas de maladie, de vieillesse, d'invalidité ou lors de l'expression des besoins symboliques du groupe familial (festivités) et enfin le soutien moral et psychologique.

Tableau 17
Répartition des actifs selon leur opinion sur le rôle à jouer par la famille et la situation dans la profession principale.

Nature du rôle de	Situation dans la profession principale				
	Empl.	Indép.	Indép. à domicile	Indép. amb. ou sans local	Autres (*)
Aider les membres de la famille à trouver un emploi....	56	56	75.5	65	63
Les aider financièrement à créer leur entreprise....	-	-	1	2	-
Les entretenir en cas de besoin ou de crise (maladie, vieillesse, invalidité, festivité)....	37	39	18.5	28	29
Assurer la garde et l'éducation des enfants des autres membres de la famille.....	-	-	-	-	2
Soutien moral et psychologique pour les menbres de la famille	7	5	5	5	6
Total....	**100**	**100**	**100**	**100**	**100**

Source : CERED, Enquête Famille à Fès, 1990.
(*) Il s'agit des actifs occupés et des chômeurs ayant déjà travaillé (CH1), les chômeurs n'ayant jamais travaillé (CH2) ne sont pas concernés.

Conclusion

En conclusion l'étude de la dynamique économique et des stratégies familiales à Fès a permis de montrer que la famille continue à jouer son rôle d'institution de base dans la régulation des activités économiques de ses membres. Si elle a relativement éclaté sur le plan spatial du fait d'une dynamique urbaine spécifique, les réseaux de solidarité qu'elle véhicule n'ont pas pour autant disparu bien qu'ils reçoivent les contrecoups d'une dynamique économique qui n'est pas trop empreinte de fragilité, de précarité et d'instabilité.

Aussi, constatons-nous que si la famille continue d'exprimer la solidarité avec ses membres en cas de besoin ou de crise, elle n'a pas pour autant les ressources suffisantes pour les aider ou pour prendre en charge leur progéniture. Ici, les nouvelles conditions économiques ont relativement déstabilisé la famille et l'ont conduite à des pratiques économiques qui sont en passe de la contraindre à s'éloigner de ses fonctions traditionnelles. Aussi, "agence pour l'emploi", institution de conseil, institution d'aide en cas de besoin ou de crise, institution de soutien moral et psychologique, la famille à Fès semble de moins en moins fonctionner comme une institution d'aide financière à la création de l'entreprise ou une institution de garde et d'éducation des enfants de ses membres.

Dès lors, on peut valablement affirmer que les nouvelles conditions économiques de la ville de Fès ont introduit des transformations dans les comportements économiques de la famille et ont affecté certains aspects et certaines modalités de ses réseaux de solidarités. Non que les fonctions économiques de la famille aient changé de nature mais que la dynamique économique actuelle a imposé une `réallocation' des réseaux de solidarités en fonction des réalités sociales quotidiennes de la famille à Fès.

BIBLIOGRAPHIE

AMEP. 1985. *La famille au Maghreb, Rabat.*

Ameur Mohamed, Fejjal A. et autres, *Atlas de la médina de Fès,* Faculté des Lettres, Fès-Université Toulouse le Mirail, 1990 ;

CERED. 1989. Education et changements démographiques au Maroc, Direction de la statistique, Rabat.

CERED. 1991. *Famille à Fès, changement ou continuité ? Les réseaux de solidarité familiale,* CERED, Direction de la Statistique, Rabat.

Fejjal A., 1988. Rénovation de l'artisanat et question de l'emploi dans la médina de Fès, *Colloque de l'INTES,* Tunis, 1988.

Blachère A. 1934. "Fès chez les géographes arabes du Moyen-Age", *Hespéris, tome 17.*

Bouyon H. 1930. *La fondation et l'évolution de la ville nouvelle de Fès,* Les chantiers nord-africains.

Belakhdar M. 1986. *Le commerce alimentaire et vestimentaire dans la ville de Fès,* thèse de 3ème cycle, Université de Toulouse le Mirail.

Bouziane Chentouf. 1989. *Famille et changement social à Fès,* thèse, Université de Paris.

Fargue Philippe. 1986. "Le monde arabe : la citadelle domestique", in Histoire *de la famille,* tome 2. Le choc des modernités, sous la direction de André Bourguière et autres, Armand Colind, Paris.

Guerraoui Driss. *Aspects du développement économiqque de la ville de Fès,* inédit.

Nouijai Ahmed et Lfarakh Abdellatif. 1985. "Quelques facteurs explicatifs de l'évolution des ménages et de la famille selon la taille", *in La famille au Maghreb,* AMEP, Rabat, p.93.

Radi A., 1977. "Adaptation de la famille et changement social", in *BESM* n° 135. R.G.P.H. 1960, 1971 et 1982.

NOTES

* Cet article a paru sous une forme légèrement remaniée dans une étude du CERED de la Direction de la Statistique sous le titre «Dynamique économique et stratégies familiales à Fès».

Je remercie le directeur du CERED d'avoir autorisé d'en faire mention lors du colloque «Femmes, état et développement au Maghreb», AIMS, Tanger Octobre 1991.

LISTE DES AUTEURS
Volume I

Sabéha BENGRINE , Sociologue, Institut National des Industries Légères, Alger, Algérie.

Rahma BOURQIA, Sociologue et anthropologue, Faculté des Lettres et Sciences Humaines, Université Mohamed V, Rabat, Maroc.

Mounira CHARRAD, Sociologue, Département de Sociologie, Université de Pittsburgh, Pennsylvanie. USA.

Elaine COMBS-SCHILLING, anthropologue et chef de Départment d'anthropologie à l'Université de Columbia, New York, USA.

Mokhtar EL HARRAS, Sociologue, Faculté des Lettres et Sciences Humaines, Université Mohamed V, Rabat, Maroc.

Nancy GALLAGHER, Historienne, Département d'Histoire, Université de Santa Barbara, Californie, USA.

Faouizi ADEL, Sociologue, Institut des Sciences Sociales, Université de Constantine, Algérie.

Fatima HAJJARABI, Anthropologue, Faculté des Sciences de l'Education, Université Mohamed V, Rabat, Maroc.

Driss GUERRAOUI, Economiste, Faculté de Droit et Sciences économiques, Université Mohamed Ben Abdellah, Fès, Maroc.

Leila HESSINI, Anthropologue, Ford Foundation, Le Caire, Egypte.

Eva Evers ROSANDER, Anthropologue, Chercheur à l'Institut Scandinave des Etudes Africaines, Uppsala, Suède.

LISTE DES AUTEURS
Volume II

Mounira CHARRAD, Sociologue, Département de Sociologie, Université de Pittsburgh, Pennsylvanie. USA.

Aziza MEDIMEGH DARGOUTH, Sociologue et démographe, Directrice du Cabinet de Prospective Sociale, Tunis, Tunisie.

Susan SCHAEFFER DAVIS, Anthropologue, chercheur indépendante et consultante.

Sophie FERCHIOU, Anthropologue, Directrice de Recherche au Centre Nationale de la Recherche Scientifique, Paris. Membre de l'Institut de Recherches et d'Etudes sur le Monde Arabe et Musulman. Aix En Provence. Chercheur Associé au Centres d'Etudes et de Recherches Economiques et Sociales, Tunis.

Ann Elizabeth MAYER, Juriste, Wharton School, Université de Pennsylvanie, USA.

Abderrazak MOULAY RCHID, Juriste, Doyen de la Faculté de Droit, Université Mohamed V, Souissi, Rabat, Maroc.

Fatima Zohra SAI, Sociologue, Université d'Oran, Algérie.

Fatima Zahra TAMOUH, Historienne, Faculté des Lettres et Sciences Humaines, Université Mohamed V, Rabat, Maroc.

Susan WALTZ, Science politique, Département des Relations Internationales, Université de Floride, Miami. USA.

Salma ZOUARI-BOUATOUR, Economiste, Vice-présidente de l'Université de Sfax, Tunisie.

SOMMAIRE

VOLUME I
CULTURE, FEMMES ET FAMILLE

SOMMAIRE

VOLUME II
FEMMES, POUVOIR POLITIQUE ET DÉVELOPPEMENT

Achevé d'imprimer en Janvier 2000
sur les presses de l'imprimerie
Afrique-Orient
Tél. 25.95.04 / 25.98.13 Fax. 44.00.80
Casablanca